Chère lectrice,

Alors que les fêtes de fin d'année approchent à grands pas, laissez-vous emporter par la magie si particulière de ce beau mois de décembre, où tout semble devenir possible. Dans un Saint-Pétersbourg enneigé, Breanna va trouver ce qu'elle n'osait plus espérer : l'amour de l'homme auquel elle a offert son cœur dix ans plus tôt (*L'amant de Saint-Pétersbourg*, de Jennie Lucas, Azur n° 3544). Et c'est dans un château familial de la campagne écossaise, au parc scintillant de glace et de givre, que nous emporte Melanie Milburne pour le dernier tome de sa saga Irrésistibles Héritiers (*Une amoureuse indomptable*, Azur n° 3543).

Au côté des impétueuses héroïnes de ce mois de décembre, vivez des moments précieux, uniques et bouleversants…

Je vous souhaite un excellent Noël, et de très belles lectures.

La responsable de collection

Un milliardaire pour ennemi

ELIZABETH POWER

Un milliardaire pour ennemi

Collection : Azur

Cet ouvrage a été publié en langue anglaise
sous le titre :
A CLASH WITH CANNAVARO

Traduction française de
FRANÇOISE PINTO-MAIA

HARLEQUIN®
est une marque déposée par le Groupe Harlequin

Azur® est une marque déposée par Harlequin

HARLEQUIN
83-85, boulevard Vincent-Auriol, 75646 PARIS CEDEX 13.
Service Lectrices — Tél. : 01 45 82 47 47

www.harlequin.fr

ISBN 978-2-2803-0785-7 — ISSN 0993-4448

1.

Lauren reconnut son visiteur dès qu'il descendit de la luxueuse voiture gris métallisé. La présence de cette limousine parmi les bâtiments rustiques de sa ferme avait quelque chose d'incongru. Mais c'était l'homme qui traversait à présent la cour, tandis qu'elle fermait l'écurie pour la nuit, qui retenait toute son attention. Grand, mince, la trentaine, des cheveux noirs que le vent s'acharnait à décoiffer, il portait un costume élégant qui soulignait son corps svelte et sa large carrure. Jamais elle n'aurait imaginé — ni espéré — revoir ce bel Italien…

Mettant une main en visière pour se protéger de la lumière aveuglante du soleil couchant, elle observa sa progression d'un œil aigu.

— Bonsoir Lauren.

Elle était encore trop stupéfaite pour prononcer un seul mot. Que venait-il faire chez elle, dans cette ferme reculée du nord de l'Angleterre, si loin du monde flamboyant des milliardaires dans lequel il évoluait ?

— Emiliano ?… articula-t-elle enfin.

En entendant sa voix chevrotante, Lauren aurait voulu se gifler ! Et pourquoi diable avait-elle honte tout à coup de son débardeur et de sa salopette ? C'était la tenue qu'elle portait habituellement pour inspecter les box des chevaux qu'elle prenait en pension chez elle. L'argent des locations venait compléter le maigre revenu qu'elle tirait de son emploi de caissière à la jardinerie locale. Pour comble, elle avait aussi conscience de sa crinière rousse ébouriffée par le vent humide.

— Que viens-tu faire ici ?

Elle avait voulu insuffler une note de défi à sa voix, mais un léger tremblement avait faussé cet effet. C'était compréhensible puisqu'elle n'avait pas vu Emiliano Cannavaro depuis deux ans, quand il l'avait rejetée de façon abjecte. C'était le soir du mariage de sa sœur. Magnat d'une compagnie maritime italienne dont les navires sillonnaient toutes les mers du globe, Emiliano avait usé de son charme méditerranéen pour l'entraîner dans son lit…

— J'ai à te parler, répondit-il.

Il était plus grand que dans son souvenir. Sans les talons hauts qu'elle portait le jour des noces de Vikki, Lauren lui arrivait tout juste à l'épaule. Un frisson naquit au creux de son ventre en levant les yeux vers ses beaux traits hâlés empreints d'autorité — exactement comme cela lui était arrivé la première fois…

Elle détailla son visage : le front haut, des pommettes sculptées, des yeux incroyablement sombres bordés de longs cils noirs. Son nez était légèrement busqué et sa mâchoire énergique était ombrée d'une légère barbe.

— Me parler ? A quel sujet ? s'enquit-elle d'un ton peu amène.

— Daniele.

Elle plissa les yeux avec méfiance.

— Danny ?

Emiliano n'avait pas envie d'entamer une discussion dans la cour. Il s'attarda sur le visage ovale empourpré de Lauren Westwood, ses prunelles d'un vert pétillant frangées de cils d'un roux plus sombre que ses cheveux, son nez retroussé piqueté de taches de rousseur. Puis, il s'arrêta sur sa bouche. Elle avait des lèvres pleines, joliment dessinées, mais qui en cet instant offraient un pli rebelle.

Au moment où Lauren faiblissait sous la brûlure de son regard, son visiteur fit un geste pour désigner la ferme.

— Si nous allions à l'intérieur ?

Elle tressaillit. A l'intérieur ? *Seule avec lui ?...*

— Pas avant que tu m'aies dit exactement le motif de ta visite, répondit-elle avec fermeté.

— Très bien. Si tu préfères que j'aille droit au but. J'aimerais le voir.

— Pourquoi ? Tu n'as pas fait l'effort de prendre de ses nouvelles en plus d'un an.

Lauren crut l'entendre ravaler son souffle. Ainsi, il se sentait coupable. Parfait ! Car elle était bien décidée à ne pas lui faciliter la tâche.

— Si je ne me suis pas manifesté, répondit-il, les lèvres légèrement pincées, c'est parce que tu as refusé de nous dire où il se trouvait.

Lauren le fixa, sidérée.

— C'est ce que ton frère t'a raconté ? Ou quelque chose que tu as inventé ? Car Danny n'a jamais compté jusque-là, ni pour toi ni pour aucun des Cannavaro.

Elle avait lâché ces derniers mots avec amertume comme toute l'histoire avait recommencé à se dérouler dans son esprit ; on aurait dit que la présence de son amant d'une nuit avait enclenché la touche « lecture » de sa mémoire.

Angelo Cannavaro, le frère d'Emiliano, avait épousé la sœur de Lauren. A l'époque, celle-ci était enceinte. Hélas, Vikki avait trouvé la mort dans un accident de voiture presque un an plus tôt ; Angelo, qui conduisait, n'avait été que blessé. Peu après le drame, son beau-frère était venu la voir, appuyé sur des béquilles, pour l'informer qu'elle pouvait garder le bébé dont selon lui Vikki s'était servie pour le contraindre à l'épouser. Il reniait Daniele, son propre fils, et coupait les ponts. C'était la dernière fois qu'elle l'avait vu. Lui ou quelque autre membre de la famille Cannavaro d'ailleurs. Et voilà que l'aîné des deux frères débarquait chez elle à l'improviste pour l'accuser !

— Tu ne manques pas d'air, marmonna-t-elle, les dents serrées.

Il ramena ses cheveux noirs en arrière. Il avait de belles mains longues et fines. Comment oublier qu'un certain week-end elles avaient sillonné son corps pour en obtenir les plus délicieuses réponses ?

Il haussa un sourcil, comme s'il allait contester ce commentaire, puis se ravisa.

— Comme je le suggérais tout à l'heure, pouvons-nous discuter à l'intérieur ?

Son ton n'admettait aucune réplique. Consciente qu'il ne servait à rien d'insister, Lauren capitula. Elle traversa la cour et entra par la porte du fond dans la vieille maison aux murs massifs. Emiliano la suivait de près. Elle sentait son regard peser sur la chute de ses reins et elle devina qu'il se souvenait, lui aussi…

Dès qu'ils se trouvèrent dans la vaste cuisine, Lauren pivota pour faire face à son visiteur.

— Maintenant, dis ce que tu as à dire !

Sa voix était d'une dureté excessive, mais cet homme qui lui avait fait l'amour l'avait aussi traitée de façon exécrable ensuite, et ce souvenir l'emplissait encore de honte et d'humiliation. Maintenant qu'il venait de réapparaître, ces sentiments étaient exacerbés.

— Comme tu voudras, répondit-il sans paraître froissé par son hostilité. Je ne vais pas… Quelle est l'expression déjà ? Tourner autour du pot ?

Il hésita néanmoins avant d'ajouter :

— Tu es probablement au courant qu'Angelo est décédé il y a un peu plus d'un mois.

Lauren hocha la tête. Elle avait reçu un choc en apprenant la nouvelle dans la presse. On avait conclu à une mort accidentelle, causée par un mélange des puissants calmants qu'il prenait contre les douloureuses séquelles de sa blessure et d'une dose excessive d'alcool. Elle aurait voulu faire part à Emiliano de sa sympathie, lui présenter des condoléances, mais elle ne trouva pas les mots qui convenaient.

— Qu'est-ce que cela a à voir avec moi ? demanda-t-elle faute de mieux.

— Cela te concerne directement parce qu'à partir de maintenant, tu vas cesser d'exercer ton monopole sur Daniele.

— Je ne l'ai pas monopolisé ! rétorqua-t-elle. Pas volontairement du moins. Ton frère n'accordait pas la moindre attention à son fils, c'est d'ailleurs l'une des raisons pour lesquelles Vikki voulait le quitter. Et toi non plus, tu ne t'es pas soucié de lui.

— Un manque que j'ai bien l'intention de réparer. Mais comme je te l'ai déjà dit, je n'avais pas la moindre idée de l'endroit où se trouvait mon neveu. Je vis à Rome… comme tu t'en souviens probablement.

Lauren se doutait que son hésitation avait été calculée ; pour lui rappeler une intimité passée à laquelle elle ne voulait pas songer.

— Chaque fois que je venais en Angleterre, reprit-il, Angelo m'assurait que Daniele était en bonnes mains. Rien de plus. Peu avant sa mort, j'ai fait pression sur lui pour savoir où il se trouvait. Il a fini par avouer qu'il te l'avait confié, mais qu'il ignorait où tu l'avais emmené. Pourquoi m'aurait-il menti ?

— Parce qu'il ne voulait pas que tu saches la vérité, répondit Lauren envahie par la colère.

— Quelle vérité ?

— Il a abandonné Daniele parce qu'il refusait d'affronter la responsabilité de sa paternité ! Il savait parfaitement où me trouver et il aurait pu venir à tout moment voir son fils, je ne l'en aurais pas empêché…

Sa voix se brisa et elle pensa douloureusement à son petit neveu. Prenant une profonde inspiration, elle poursuivit :

— Il n'est jamais venu. Parce qu'il ne voulait pas se

priver un seul instant des plaisirs de la belle vie légère et insouciante que vous aimez tant tous les deux !

C'était un cri du cœur qui reflétait l'injustice que sa sœur et elle avaient subie en fréquentant les frères Cannavaro. Vikki n'avait pas été une sainte, loin de là. Mais elle n'avait pas non plus mérité les maltraitances psychologiques et les infidélités d'Angelo ; pas plus qu'elle n'avait mérité le mépris cinglant de son frère.

— Tu auras beau dire, Daniele est le fils d'Angelo, et par conséquent mon neveu, dit froidement Emiliano, comme s'il ne faisait aucun cas de son émotion.

— Et naturellement, tu veux le voir.

Elle devait faire cette concession. En tant qu'oncle et tante biologiques de l'enfant, ils pouvaient tous deux également prétendre à son affection. Cependant, elle ne put s'empêcher d'éprouver une certaine satisfaction au moment d'ajouter :

— Je crains que ce ne soit pas possible ce soir. Il dort déjà.

Elle perçut sa tension et, pour la première fois, elle remarqua les ombres grises qui cernaient ses yeux — la récente disparition de son frère l'avait affecté. Il ébaucha un léger signe de tête, ce qui eut pour effet de ramener quelques mèches sur son front. Cela lui donna un air plus ténébreux et plus diabolique que jamais.

— Je comprends, dit-il, étrangement conciliant tout à coup. En revanche, je ne crois pas que tu saisisses bien la situation, Lauren. Mieux vaut que tu connaisses dès maintenant mes intentions : j'exigerai beaucoup plus que de *voir* Daniele.

— Que veux-tu dire ? demanda-t-elle gagnée par une brusque nausée.

— L'enfant est un Cannavaro. Il est donc logique qu'il grandisse dans *sa* famille.

— Mais il est déjà dans sa famille ! protesta-t-elle, indignée.

Au lieu d'argumenter, Emiliano jeta un coup d'œil circulaire dans la cuisine. Lauren devinait aisément ce qu'il pensait : que la pièce avait connu des jours meilleurs, avec son évier ébréché, sa table en chêne usée et son vieux vaisselier adossé contre le mur du fond.

Le regard d'Emiliano se reporta sur elle. Une lueur sévère animait ses prunelles sombres.

— Tu penses qu'il est convenable pour un enfant de son rang de grandir dans ce genre d'endroit ?

Sa réflexion méprisante la piqua au vif. Elle avait été heureuse, elle, dans cette maison, entre ses parents aimants et sa sœur !

— Bien sûr, ce n'est pas le palais que tu imagines sans doute pour lui, répliqua-t-elle, déterminée à ne pas montrer combien elle était blessée. Mais il recevra davantage d'amour, il apprendra mieux les vraies valeurs dans cette maison modeste et que dans ces demeures immenses et stériles que vous autres, les riches, vous appelez un chez-soi !

Les traits d'Emiliano se contractèrent. Avait-elle touché une corde sensible sous la façade monolithique qu'il lui opposait, ou était-ce seulement son franc-parler qui provoquait chez lui cette tension ? Lauren n'en savait rien, mais un souvenir vivace lui revint à l'esprit. Elle lui avait déjà vu cette expression ; deux ans plus tôt, juste avant qu'il l'emporte avec lui vers une extase inouïe…

— Je me demande ce que toi ou ta sœur savez des « vraies valeurs », la défia-t-il d'une voix dangereusement calme.

— Selon toi, rien, bien sûr ! jeta-t-elle, tremblante de colère.

Lauren n'oubliait pas qu'Emiliano n'avait pas voulu entendre ses explications après la conversation qu'il avait surprise entre Vikki et elle. Il les avait aussitôt cataloguées comme des femmes vénales de la pire espèce. Elle n'allait certainement pas essayer de rétablir la vérité maintenant, surtout qu'il l'accusait en plus d'enlèvement d'enfant !

— Dans quel genre de maison est-ce que j'habite, d'après toi ? demanda-t-il soudain.

La question la dérouta. Elle ne pouvait l'imaginer ailleurs que dans une de ces villégiatures chic où les gens riches et célèbres passaient leurs vacances, ou dans un immense bureau high-tech au sommet d'une tour ultramoderne d'où il dirigeait son empire maritime.

— Je n'ai pas le temps de jouer aux devinettes, trancha-t-elle, farouche.

— Tu ne te demandes pas où notre neveu, à qui tu dis inculquer tes valeurs pourtant discutables, va vivre désormais ?

Lauren se mordit l'intérieur de la joue pour s'adjurer au calme. Les souvenirs de ce qui s'était passé entre eux la dérangeaient certes, mais ne la blessaient pas. Seulement, Emiliano Cannavaro n'était plus un simple souvenir : il se tenait devant elle, immense et imposant, et avait le pouvoir de lui prendre le seul être cher qu'elle avait au monde et qui comptait plus que tout.

En se raidissant, elle se jura qu'elle n'allait pas le laisser faire.

— Je n'ai pas besoin de me poser cette question, Emiliano. Parce que Danny grandira auprès de moi. C'était le souhait de ma sœur que je prenne soin de son fils s'il lui arrivait quelque chose avant que lui n'ait atteint sa majorité.

— Un souhait qu'elle n'avait aucun droit de formuler tant que mon frère était en vie.

— Elle en avait parfaitement le droit au contraire ! lança-t-elle, incapable de supporter plus longtemps l'attitude autoritaire de l'Italien. Mais elle n'aurait pas eu besoin de le faire si Angelo n'avait été aussi mauvais père qu'il était mauvais mari !

— Le mari qu'elle considérait seulement comme un moyen d'accéder à une vie luxueuse, tu veux dire. Un mode de vie auquel elle n'avait pas l'intention de renoncer.

Lauren accusa le coup. Brusquement, elle se remémora

les paroles que Vikki avait lancées onze mois plus tôt, en ce jour tragique où elle était partie voir Angelo, lui laissant le petit Daniele, alors âgé de six mois : « Je vais lui soutirer tout ce que je peux. Jusqu'au dernier sou ! » Des mots qui avaient fait écho à d'autres paroles, prononcées le soir de son mariage, et que Lauren aurait souhaité ne jamais entendre…

La voix profonde d'Emiliano pénétra ses pensées et la sortit de ses souvenirs :

— Ne te méprends pas. Je ne défends pas l'attitude d'Angelo. Les défauts de mon frère étaient évidents. Il n'empêche qu'il s'est joliment fait avoir !

« Chose qui ne risque pas de t'arriver ! », pensa-t-elle en se rappelant sa réaction ce soir-là, alors qu'il croyait qu'elle cherchait à le prendre dans ses filets.

— Non, dit-il avec une dangereuse douceur. Chat échaudé craint l'eau froide.

Médusée, Lauren se demanda s'il avait le pouvoir de lire dans ses pensées. Elle leva les yeux avec réticence vers son physique époustouflant.

— Non quoi ?

— Je ne suis pas venu ici pour ressusciter quoi que ce soit entre nous. Mais s'il existait un prix pour récompenser les femmes qui envoûtent les hommes jusqu'à la folie, tu l'aurais remporté haut la main, *cara mia*. Tu n'as pas lésiné sur les moyens pour me satisfaire la nuit où je t'ai invitée dans mon lit.

Lauren s'empourpra violemment. De honte, car une sourde exaltation naissait en elle d'avoir entendu évoquer leur intimité passée et le rôle qu'elle avait joué.

— Ne joue pas à ça, Emiliano.

Il se mit à rire, savourant visiblement son embarras.

— Bien sûr, dit-il. Nous avons des questions autrement plus urgentes à régler.

Comme de lui prendre Daniele ? pensa Lauren, alarmée.

— Si tu crois que je vais te remettre l'enfant de ma

sœur comme ça, tu n'es pas au bout de tes surprises, je te préviens !

Emiliano sourit. C'était le genre de sourire dévastateur qui l'avait hypnotisée lors de ce week-end fatal. Jamais elle ne s'était sentie attirée par un homme de cette manière. Ni avant ni depuis.

— Je ne m'attendais pas à ce que tu me remettes Daniele… *comme ça*. Il y aura une période d'ajustement, le temps qu'il s'habitue à moi et me considère comme son nouveau tuteur. Et naturellement, tu seras dûment rétribuée pour le temps que tu as passé à t'occuper de lui.

Lauren n'en croyait pas ses oreilles.

— « Dûment rétribuée » ? Et quel prix te paraît convenable pour *acheter* un enfant ? lança-t-elle avec dégoût.

Il haussa un sourcil dédaigneux.

— Je ne l'achète pas, Lauren. Je veux seulement te dédommager pour le mal que tu t'es donné et le manque à gagner que la garde de mon neveu a dû entraîner pour toi. Si tu y tiens, je te laisse faire l'estimation. Raisonnable, hein ? Je suis sûr que nous pouvons tomber d'accord.

Hébétée, elle fixait les traits rudes et beaux d'Emiliano, empreints de détermination.

— Tu penses que toi et tous les gens de ton espèce, vous pouvez acheter ce que vous voulez, n'est-ce pas ? Eh bien, désolée de te décevoir, mais je n'ai pas l'intention d'abandonner Danny. Ni maintenant ni jamais ! Alors, garde tes billets dans ton portefeuille, remonte dans ta belle voiture et retourne d'où tu viens.

Il ébaucha un sourire en coin.

— Et moi qui croyais que nous pourrions régler le problème posément… Si je comprends bien, tu préférerais que nous portions l'affaire devant un tribunal ?

La respiration de Lauren se bloqua. Un homme comme

Emiliano Cannavaro sortirait forcément vainqueur d'une bataille juridique. Pourtant, elle refusait de se laisser intimider.

— S'il faut en arriver là, pourquoi pas ? répliqua-t-elle, bravache.

Il émit un claquement de langue impatient.

— Sotte et bornée ! Je t'ai sous-estimée en te proposant un accord à l'amiable, sans que tu aies à engager un avocat hors de prix. Peut-être que la perspective d'un procès te laisse espérer des gains plus conséquents ?

— Tu es odieux !

— Et ce sera bien pire quand je vous aurai traînée au tribunal, *signorina* Westwood.

Elle lui jeta un regard haineux.

— C'est une menace ?

— Non, juste un avertissement.

— Tu peux te les garder, tes avertissements !

Il se mit à rire doucement.

— Quel caractère ! dit-il en s'approchant.

Lauren recula et jeta un regard affolé par-dessus son épaule en rencontrant la masse solide du vaisselier. Osant à peine respirer, elle demeura immobile, les sens en alerte, quand les mains d'Emiliano se posèrent sur le meuble, de chaque côté de sa taille, la retenant prisonnière.

— Tu sais, c'est la première chose qui m'a attiré chez toi. En dehors de…

Lauren prit conscience qu'une bretelle de sa salopette avait glissé. Au regard plissé qu'Emiliano jetait sur son débardeur, elle sut ce qu'il voyait : le relief de son sein nu à travers le jersey ! Des seins qu'elle trouvait trop généreux par rapport à sa taille fine. Et maintenant, sous le regard brûlant qu'il portait sur elle, leurs pointes se dressaient. Oh non ! Pas ça…

— Je trouvais tes reparties terriblement excitantes, reprit Emiliano d'un ton sensuel. Mais je n'étais pas le seul à être excité, n'est-ce pas, *cara* ? Tu l'étais avant même de connaître mon identité.

La douceur de sa voix et la proximité du bel Italien étourdissaient Lauren. Elle dut faire appel à toute sa volonté pour ne pas tendre le buste et inviter ses mains à la caresser, à la rendre folle, comme autrefois…

Heureusement, elle n'en fit rien, et Emiliano n'essaya pas de la toucher. Le visage sombre, il déclara :

— Un autre avertissement : si tu m'attaques en justice et que tu perds la partie, tu n'auras rien de moi. Est-ce clair ? Pas un sou.

— Tant mieux, répliqua-t-elle en rajustant vivement sa bretelle. Parce que ce n'est pas l'argent qui m'intéresse, mais seulement la décence et le respect ! A l'inverse de vous, les Cannavaro. Vous ne pensez à rien d'autre qu'à accroître votre fortune !

— Voilà qui n'a rien de répréhensible, il me semble, fit-il remarquer, un sourire froid aux lèvres. En revanche, je me méfie des petites vamps cupides dans ton genre. Raison pour laquelle…

— Arrête ! Tu m'insultes avec tes promesses de dédommagement !

D'un regard furtif, il balaya le décor propre mais terriblement pauvre de sa cuisine.

— On dirait que tu en as besoin pourtant.

Bien qu'il se soit écarté d'elle, son parfum frais et viril continuait de lui titiller les narines.

— Le seul besoin que j'ai en ce moment, c'est de te voir déguerpir de chez moi !

— Aucun problème. Mais je reviendrai, tu peux en être sûre. Et cette fois, je verrai mon neveu. Est-ce clair ?

— Je n'oserai pas t'en empêcher, dit-elle avec cynisme.

— Dans ce cas, il ne me reste plus qu'à partir. Ne t'inquiète pas, je connais le chemin.

Lauren se ressaisit. Si Emiliano voulait la guerre, il allait l'avoir ! Depuis la mort de Vikki, Danny était tout ce qui lui restait au monde, et son oncle pouvait toujours courir s'il espérait qu'elle allait lui confier le garçonnet.

Elle entendit la puissante voiture de son ancien amant s'éloigner dans l'allée de la ferme. En poussant un soupir de soulagement, elle constata à quel point elle était troublée. Et pas seulement par la requête d'Emiliano. Il y avait aussi cette attirance dévastatrice qui l'avait submergée au moment où elle l'avait vu traverser la cour. Et pire : la réponse traîtresse de son corps quand il l'avait encerclée entre ses bras contre le buffet — sans même la toucher ! C'était la même attirance qu'elle avait ressentie quand elle avait posé les yeux sur lui à travers la salle de bal bondée.

Non sans réticence, Lauren laissa ses pensées dériver vers les événements qui s'étaient déroulés dans cet hôtel majestueux de Londres, deux ans plus tôt.

2.

Sa sœur l'avait invitée à la réception organisée la veille de son mariage avec l'un des célibataires les plus en vue d'Italie.

Lauren se sentait aussi peu à l'aise dans cette soirée où elle était venue seule que dans la robe-fourreau vert émeraude qu'elle avait dû acheter pour l'occasion. Pour couronner le tout, un banquier d'âge mûr l'avait accaparée dès son arrivée et elle avait l'impression de sourire poliment depuis des heures quand, à son grand soulagement, un autre invité sollicita le raseur.

Restée seule, Lauren attira malheureusement l'attention d'un autre homme. En fait, elle avait eu conscience que celui-ci l'observait pendant qu'elle supportait tant bien que mal la compagnie du banquier. De sorte que lorsque ce dernier se fut éloigné, elle ne put éviter la froide intensité du regard sombre de l'inconnu posé sur elle.

Il devait avoir la trentaine. A son teint hâlé et à ses cheveux très noirs, elle devina qu'il était italien, ainsi que bon nombre des invités. Pour autant, elle percevait chez lui une distance et une détermination qui le démarquaient des autres hommes présents, comme s'il se maintenait volontairement à l'écart. A cause de cette autorité qui imprégnait ses traits durs et néanmoins aristocratiques, Lauren eut la nette impression qu'il valait mieux ne pas contrarier cet homme. En tout cas, il dégageait un incroyable magnétisme. Ajoutez à cela la belle musculature qu'on devinait sous son smoking parfaitement coupé, et on comprenait mieux pourquoi les femmes qui passaient à moins de dix mètres de lui faisaient tout pour qu'il les remarque.

Pourtant, c'était elle qu'il ne quittait pas des yeux…

Peu habituée à être l'objet d'une telle attention, elle tourna le regard vers le couple séduisant des jeunes mariés qui, les bras entrelacés, savouraient une coupe de champagne.

— Est-ce de l'envie que je lis dans vos yeux ? Ou vous demandez-vous s'ils sont aussi heureux qu'ils veulent bien nous le faire croire ? fit soudain une belle voix grave teintée d'accent derrière elle.

D'instinct, Lauren se raidit en serrant son verre. Ce timbre sensuel l'enveloppait telle une vague chaude. Troublée, elle répondit d'un ton plus abrupt qu'elle ne l'aurait voulu :

— Pourquoi ne seraient-ils pas heureux ?

Se retournant, elle jeta un regard direct à celui qui venait de parler. Vu de près, l'inconnu était encore plus séduisant. Il avait des traits ciselés, des pommettes saillantes et une bouche d'une sensualité presque animale, promesse d'une passion irrésistible. Sa chemise à col cassé était d'une blancheur étincelante contre sa peau couleur bronze. Il sentait divinement bon et son parfum avait un effet dévastateur sur les sens exacerbés de Lauren.

— Pourquoi ? répéta-t-il. Elle doit avoir quelque chose de spécial pour avoir mis Angelo Cannavaro à ses pieds.

Cette allusion à peine voilée à la réputation de play-boy du futur marié fit tiquer Lauren.

— Vous êtes un ami de la famille ?

Un sourire énigmatique incurva la bouche sensuelle de son interlocuteur.

— Je ne me considère pas exactement comme tel.

Un partenaire en affaires, alors ? Elle s'interrogeait sur son identité et la raison de son hésitation quand un éclat de rire attira son attention. Vikki et Angelo virevoltaient sur une musique imaginaire, les bras toujours liés, tenant haut leurs coupes de champagne.

— Elle me fait l'effet d'une jeune femme qui sait exactement ce qu'elle veut et comment l'obtenir, reprit l'inconnu.

Son regard était fixé sur le ventre rebondi de Vikki dissimulé sous le satin bleu électrique de sa robe, pourvue d'un décolleté provocant et fendue très haut.

Agacée par cette critique visant sa sœur, Lauren leva les yeux vers le profil à se damner de son compagnon.

— Qu'insinuez-vous exactement ?

— Rien, je vous assure. Mais elle doit sûrement savoir qu'il y a des destinées pires que d'entrer dans l'une des familles les plus anciennes et les plus renommées d'Italie.

L'irritation de Lauren s'accrut.

— Certains diraient qu'elle mérite mieux que de se marier dans une famille qui aime trop l'argent pour inculquer les vraies valeurs à sa progéniture !

Ce commentaire acerbe amena un sourire dubitatif sur les lèvres de l'homme.

— Hum… Vous êtes un membre de ladite famille, je suppose ?

— Grands dieux, non ! s'écria-t-elle.

Elle n'avait pas eu l'intention de s'en prendre si ouvertement aux proches du marié, mais les remarques de cet homme sur sa sœur l'avaient d'autant plus horripilée que Lauren se faisait du souci pour elle.

Au décès de leurs parents, emportés par une maladie tropicale six ans plus tôt, Lauren avait dû, à dix-huit ans seulement, s'improviser chef de famille et s'occuper de sa cadette âgée de seize ans. Adolescente rebelle, Vikki avait réagi à ce double deuil en s'en prenant au monde entier et sa rage l'avait vite entraînée dans la spirale infernale de l'alcool, de la drogue et des aventures sans lendemain.

Le cœur lourd, Lauren se souvint, en la regardant rire dans les bras de son mari, que Vikki refusait de l'écouter chaque fois qu'elle lui avait recommandé de ne pas gâcher sa vie. Leurs conflits étaient si fréquents que très vite il leur était devenu impossible de vivre sous le même toit. Un an après le drame, Vikki avait quitté la maison. Pendant longtemps, Lauren n'avait eu que très peu de nouvelles d'elle. Aussi quand sa sœur l'avait appelée voilà trois semaines pour lui annoncer sa grossesse et son mariage, elle avait été à la fois étonnée et heureuse. Soulagée aussi.

Toutes deux s'étaient retrouvées lors d'un déjeuner particulièrement émouvant, durant lequel Lauren avait enfin appris le nom de l'heureux élu. Aussitôt, son soulagement et sa satisfaction de voir sa jeune sœur se stabiliser s'étaient mus en anxiété.

Car le mode de vie décadent d'Angelo Cannavaro était bien connu. Il n'y avait que son frère aîné pour surpasser son penchant pour les jolies femmes, disait-on, mais celui-ci était beaucoup plus discret et sa vie ne s'étalait pas dans les journaux ! Lauren n'avait donc pas été surprise d'apprendre que la relation que Vikki entretenait depuis un an avec le play-boy italien évoluait en dents de scie. Ils s'étaient rencontrés lorsqu'elle travaillait à Londres comme hôtesse dans une boîte de nuit. Vikki avait dit aussi qu'il avait changé depuis leur dernière rupture cinq mois plus tôt, mais cela ne suffisait pas à apaiser les craintes de Lauren quant à l'avenir de sa sœur. A ses yeux, Angelo Cannavaro était trop attaché à sa liberté pour faire un mari convenable.

Elle posa de nouveau les yeux sur son compagnon, qui avait respecté son silence et la dévisageait à présent avec une lueur d'intérêt dans les prunelles.

— Ce n'est pas à moi de dénigrer le marié ou la petite blonde calculatrice qui a la chance de se faire épouser par lui, déclara Lauren avec une bonne dose de sarcasme. Et ce n'est pas à vous non plus.

Sa rebuffade sembla amuser son interlocuteur. Un sourire aux lèvres, il s'attarda sur l'ovale de son visage, puis sur sa gorge légèrement empourprée avant de glisser jusqu'à ses seins généreux, emprisonnés dans son bustier d'un vert chatoyant.

— Qui êtes-vous pour défendre ainsi la jeune mariée ? demanda-t-il d'une voix incroyablement sexy.

Il fut difficile à Lauren de soutenir son regard si déconcertant, mais elle y parvint.

— Je suis Lauren Westwood, sa sœur, déclara-t-elle non sans satisfaction.

— Ah.

— Comme vous dites. Une autre Westwood cupide et issue de l'une des familles les plus *insignifiantes* du nord de l'Angleterre !

Au lieu d'être embarrassé, comme Lauren l'avait espéré, l'Italien avait simplement hoché la tête sans se départir de son sourire. Elle aurait dû savoir que les hommes comme lui ne se laissaient pas impressionner de la sorte.

— Je crains d'avoir commis un impair grossier, reconnut-il. Permettez-moi d'aller vous chercher un autre verre.

— Non, merci. Je…

Sans écouter ses protestations, il prit la coupe qu'elle tenait ; alors, le contact fortuit de leurs doigts la rendit muette. Quelque chose qui ressemblait à une décharge électrique la traversa, enflammant son sang. L'étincelle dans les prunelles de l'inconnu prouvait qu'il était conscient de l'effet qu'il avait sur elle.

Lauren profita de la soudaine apparition d'un serveur auprès d'eux pour essayer de calmer ses sens aux abois, tandis que son compagnon déposait la coupe vide sur le plateau d'argent.

— Et puis « insignifiante » n'est certainement pas l'adjectif que je vous aurais associé, *signorina*, reprit-il.

Ce disant, il la contemplait non pas d'un œil ouvertement concupiscent, mais avec la subtile discrétion d'un homme qui a l'expérience des femmes et sait obtenir d'elles les réponses qu'il souhaite. Et en effet, il savait s'y prendre, le mufle ! se dit Lauren tandis que sa bouche s'asséchait.

— Je pense la même chose en ce qui vous concerne, le provoqua-t-elle. Mais ça, vous le savez déjà.

Bien qu'elle ait mis une bonne dose d'ironie dans cette boutade, sa voix était légèrement rauque. De plus, elle était bien forcée de reconnaître que ce regard perçant qui la déshabillait suscitait en elle des sensations de plus en plus troublantes. Ses seins devenaient lourds et sensibles sous le satin de sa robe. Comment ne pas imaginer les longues mains hâlées du sublime mâle avec lequel elle flirtait à présent abaisser sa fermeture Eclair et caresser la peau brûlante de son dos avant de… ?

— Que faites-vous, Lauren Westwood ?

Tirée de son fantasme, elle s'empourpra violemment, certaine qu'il devinait ses pensées et les réponses traîtresses de son corps.

— Vous essayez de me piéger avec ce regard aguichant, comme votre sœur a réussi à piéger ce pauvre Angelo ? poursuivit-il d'un ton suave.

Comment osait-il ! Elle n'en croyait pas ses oreilles. Ce type allait trop loin, et une furieuse envie de se venger la saisit. Alors, pourquoi brûlait-elle en même temps de recevoir ses caresses ? Et pourquoi le désir de le pousser à bout lui faisait-elle échafauder toutes sortes de scénarios ardents ? Comme de se jeter avec lui sur un lit et de calmer leur antagonisme de la façon la plus torride et la plus primitive qui soit ?

Mortifiée par son incapacité à maîtriser ses pulsions, elle tenta d'adopter un ton serein :

— Oh ! Je ne cherche pas à vous aguicher, croyez-moi. C'est même la dernière chose que je souhaite. Donc, soyez tranquille, vous ne risquez rien.

— Je ne sais pas si je dois être ravi ou déçu d'entendre ça, la coupa-t-il.

Sans tenir compte de l'interruption, Lauren enchaîna :

— Par ailleurs, je ne vois pas comment vous pouvez dire d'Angelo Cannavaro qu'il est « pauvre ». Je crois qu'il n'est à plaindre dans aucun domaine. D'autre part, si échanger des consentements est pour vous une forme de piège, alors vous avez une triste opinion de l'amour et du mariage.

— Touché, admit-il. Mais se faire passer la bague au doigt n'est pas la seule façon de piéger autrui. Il y en a d'autres, et qui n'ont rien à voir avec l'amour, *signorina* Westwood.

Le sens de ces paroles était si explicite qu'un nouvel élan de colère ébranla Lauren. En même temps, une onde brûlante naquit au fond d'elle-même, lui coupant le souffle.

— Je ne vois pas de quoi…

L'apparition de Vikki auprès d'eux l'empêcha d'achever.

— Oh ! Fantastique, s'exclama sa sœur en faisant virevolter ses boucles blondes autour de son visage de poupée. Je vois que vous avez fait connaissance. Allez-vous me dire, Emiliano, ce que vous pensez de ma sœur ? N'est-elle pas sublime ?

— Absolument, répondit-il en toisant avec désinvolture la silhouette de Lauren. Mais nous n'avons pas eu l'occasion de nous présenter.

— Emiliano, voici ma sœur aînée, Lauren, qui est libre comme l'air. Lauren, je te présente Emiliano Cannavaro, *en personne*, souligna-t-elle avec délectation. Le frère aîné d'Angelo est à la tête de la dynastie et aux commandes de la compagnie maritime depuis le décès de leur père l'an dernier.

En découvrant qu'elle venait presque d'insulter l'homme avec lequel sa sœur lui avait expressément recommandé d'être aimable, Lauren sentit ses joues virer à l'écarlate. Mais comment aurait-elle pu deviner… ?

— Malgré son emploi du temps très chargé, il est venu en avion depuis Rome pour être parmi nous ce soir et demain pour le mariage, babilla Vikki. Son avion a atterri il y a moins de deux heures. N'est-ce pas gentil de sa part ? Mais ne te laisse pas aveugler par son charme méditerranéen. Il a beau avoir l'air d'un parfait gentleman et faire figure d'homme idéal, il serait capable de te briser, d'après ce qu'Angelo m'a dit.

Vikki esquissa un geste éloquent, qu'elle accompagna d'un claquement de langue.

— Comme une brindille, ajouta-t-elle. Fais attention à toi, ma chère sœur.

Puis elle laissa échapper un petit rire aigu dans lequel Lauren détecta une note d'anxiété : c'était bien un avertissement que sa sœur lui lançait.

— Bon, je ferais mieux de continuer mon petit tour des invités, conclut cette dernière. A plus tard !

La mariée s'éloigna, laissant derrière elle un nuage de parfum luxueux ; Lauren la vit prendre le bras d'une autre invitée.

Horriblement mortifiée, elle se tourna vers Emiliano.

— J'espère que vous ne prenez pas les paroles de ma sœur au pied de la lettre, déclara-t-elle, confuse que Vikki ait si lourdement insisté sur son statut de célibataire.

— C'est-à-dire ?

— Pourquoi ne pas m'avoir dit qui vous êtes ?

— Vous ne me l'avez pas demandé, répondit-il. Qu'est-ce que ça change ? Notre conversation aurait-elle été différente si vous aviez su mon nom ?

« Oh oui ! Parce que j'aurais pris mes jambes à mon cou avant que tout cela ne dérape ! » se retint-elle de dire.

— Est-ce vrai ce qu'elle a dit ? Que vous… brisez les gens ?

D'après Vikki, c'étaient les paroles de son propre frère. Pourquoi Angelo Cannavaro aurait-il inventé une chose pareille ? Et puis les yeux d'Emiliano n'étaient-ils pas bien trop sombres pour être honnêtes ?

— C'est ce que vous aimeriez croire ? s'enquit-il, imperturbable.

Lauren déglutit avec peine. Ce type était d'une arrogance incroyable !

— Non, mais je pense que vous en êtes capable, répondit-elle avec une pointe de défi.

Il rejeta la tête en arrière et se mit à rire.

— Votre sœur semble avoir un goût prononcé pour le mélodrame, ce que vous savez sans doute. Pour ma part, je fais ce que je juge nécessaire en m'efforçant d'être toujours loyal.

Sans trop savoir pourquoi, Lauren était disposée à le croire. D'après ce que Vikki avait dit de lui, il était beaucoup plus intransigeant qu'Angelo. Les deux frères n'étaient pas particulièrement proches, mais sa sœur avait paru impressionnée en parlant du respect qu'Emiliano suscitait parmi ses collaborateurs et ses employés. Lauren en avait déduit que c'était à lui que la compagnie Cannavaro Lines devait son succès international.

Changeant de sujet, elle demanda :

— Pourquoi n'êtes-vous pas garçon d'honneur ?

Elle avait entendu dire que celui qui tiendrait ce rôle était un ancien camarade d'université du marié.

Emiliano prit soudain un air grave.

— C'est une longue histoire. Pourquoi n'êtes-vous pas demoiselle d'honneur ?

— C'est une histoire bien plus longue encore.

Une étincelle sauvage brilla dans les prunelles de son interlocuteur.

— J'ai toute la nuit devant moi.

Son pouls s'accéléra, tandis que son instinct la pressait de briser l'enchantement sensuel qu'Emiliano tissait autour d'elle depuis qu'il l'avait abordée. Hélas, elle était incapable de réagir et n'en avait pas non plus la volonté. Pas plus qu'elle n'avait envie de lui parler de la relation tendue qu'elle avait entretenue avec Vikki par le passé.

— Je ne suis pas venue ici pour raconter ma vie à un parfait inconnu, biaisa-t-elle pour se tirer d'embarras.

— Mon frère épouse votre sœur. Nous sommes donc apparentés d'une certaine façon, vous et moi.

— Les membres d'une même famille peuvent avoir un jardin secret.

Il s'assombrit.

— Vous avez raison. Inutile de s'attarder là-dessus, dit-il, énigmatique. Que pourriez-vous me dire d'autre ?

— Que vous parlez très bien anglais.

— Mais vous aussi, dit-il, amusé par sa remarque.

— Evidemment, puisque je suis anglaise, s'exclama-t-elle en riant à son trait d'humour.

— Croyez-moi, *cara*, l'un ne va pas forcément avec l'autre.

Elle nota *in petto* que c'était la première fois depuis son arrivée dans ce palace en fin d'après-midi qu'elle se sentait aussi détendue.

— Dites-moi, belle Lauren…

De petits frissons coururent sur sa peau à ce compliment inattendu.

— … est-ce parce que votre sœur vous a prévenue que j'étais un tyran, et qu'il fallait donc vous montrer particulièrement aimable envers moi, que je sens la glace fondre entre nous ?

— Non. Je ne calque jamais mon attitude sur les opinions d'autrui. J'ai l'habitude de penser par moi-même. Et si vous ne savez pas reconnaître la franchise, *signor* Cannavaro, vous risquez d'être déçu.

— Vous êtes une femme intelligente et très rafraîchissante. Je vous soupçonne aussi de prendre plaisir à croiser le fer avec moi.

Il n'était pas si loin de la vérité… De nouveau, elle ressentit une sourde exaltation au creux du ventre, comme un peu plus tôt, quand elle avait imaginé leurs ébats au fond d'un lit. Ce genre de fantasme ne lui ressemblait guère, encore moins en présence d'un homme qu'elle venait de rencontrer ! Captant son reflet dans un miroir, elle remarqua que ses cheveux roux étincelaient comme des flammes, lui donnant l'air d'une créature sulfureuse. Vivement, elle détourna les yeux.

— Vous rougissez, *bella mia*.

— Il fait chaud ici, se défendit-elle avec nervosité.

Cette réponse amena un nouveau sourire sur les lèvres d'Emiliano Cannavaro. Car la climatisation de l'hôtel assurait une température parfaitement agréable…

— Bien sûr, il existe un remède à cela.

— Lequel ? demanda Lauren d'un ton prudent.

Du regard, il désigna les portes-fenêtres ouvertes sur la terrasse.

— Vous croyez que j'ai envie de me promener au clair de lune avec vous ? Sans compter que votre réputation vous précède, s'il faut en croire la presse.

— Ne croyez pas tout ce qu'on écrit sur moi. Et vous vous trompez, il n'y a pas de lune ce soir. Donc, pas de témoin silencieux pour observer votre comportement décadent. Mais peut-être avez-vous peur, tout simplement…

— De vous ?

Lauren laissa échapper un petit rire tremblant. Mais au fond, elle regrettait de ne pas avoir obéi à son instinct qui lui avait commandé de fuir. Avait-elle peur de lui ? Après tout, il n'était qu'un invité parmi d'autres et, de plus, le futur beau-frère de Vikki. Mais il dégageait un tel magnétisme… L'air semblait vibrer autour de lui et elle était bien obligée de reconnaître que sa proximité lui embrasait les sens.

Il s'intéressait à elle, c'était évident. Alors, pourquoi ne pas tenter sa chance et s'amuser pour une fois, au lieu d'être toujours la fille raisonnable, celle qui gardait la tête sur les épaules en toutes circonstances, travaillant dur et tenant la maison, pour Vikki d'abord puis pour elle-même ? Quel mal y aurait-il à profiter de l'instant, à lâcher prise l'espace de quelques heures ? Certes, Emiliano et elle avaient commencé sur de mauvaises bases lorsqu'il avait mis en doute la sincérité des sentiments qui liaient Vikki à Angelo. Mais ne s'était-elle pas elle-même posé des questions à leur sujet ?

Sans réfléchir davantage, Lauren accepta son invitation. Posant une main sur son bras, Emiliano la guida vers la terrasse de l'hôtel.

Toujours appuyée contre la vieille table en chêne de la cuisine, Lauren soupira. Elle se souvenait qu'Emiliano et elle s'étaient isolés dans un coin faiblement éclairé du parc et qu'ils avaient longuement bavardé, tandis que la musique de la salle de bal leur parvenait en sourdine, mais elle aurait été incapable de dire ce qu'ils s'étaient dit ce soir-là.

Bien sûr, ils avaient alors conscience de ce qui suivrait et que leur bavardage anodin n'était qu'un prélude. Même avant que les lèvres d'Emiliano ne se posent sur les siennes, Lauren savait qu'il était trop tard pour revenir en arrière.

Cette nuit devait marquer le début de son humiliation. Mais sur le moment, elle n'avait pensé qu'aux mains d'Emiliano sculptant son corps, aux sensations torrides qui avaient pris possession d'elle, aux frissons de désir que la bouche chaude du somptueux Italien faisait courir sur ses épaules nues et au léger tremblement de sa voix profonde qui trahissait son désir viril.

Une nuit *magique*… Oui, c'était le mot, même si elle s'interdisait encore aujourd'hui d'y penser. Le lendemain matin, elle s'était réveillée dans le lit d'Emiliano à l'hôtel. Il leur restait tout juste le temps de se préparer pour la cérémonie, mais elle avait cédé une fois de plus à la passion insatiable qui les habitait. Et avec quelle ardeur ! Il l'avait possédée tant de fois depuis qu'elle avait répondu à son baiser fiévreux sur la terrasse qu'elle avait perdu le compte. Elle était tout simplement incapable de résister à ses caresses expertes et à ses élans impérieux.

Pendant la cérémonie, vêtue pourtant d'une robe très sage, Lauren brûlait encore de désir pour son amant. Avec un frisson d'excitation coupable, elle se demanda si l'on remarquait ce qu'elle ressentait, si ses joues étaient aussi empourprées qu'elle en avait l'impression à la perspective enivrante de retrouver les bras d'Emiliano — qui ne lui avait pas caché qu'il voulait la garder dans son lit.

Elle n'eut que peu l'occasion de lui parler pendant le repas de noces, car ils se trouvaient placés chacun à une extrémité de la longue table. Ensuite, quand les invités commencèrent à circuler, Emiliano fut accaparé par une foule de gens, de sorte que Lauren était obligée de se tenir à l'écart. Mais c'était aussi sans doute à cause de la presse qu'il l'évitait. Le marié étant issu d'une famille très influente, les journalistes avaient été présents tout au long de la journée. Or, Emiliano préservait jalousement sa vie privée. S'il gardait secrète leur toute fraîche liaison, c'était à n'en pas douter pour mieux les protéger tous les deux.

Les heures passèrent sans qu'ils puissent échanger plus que quelques mots, mais les regards que son fougueux amant lui adressait par-dessus la tête de ses interlocuteurs prouvaient à Lauren combien il brûlait d'être auprès d'elle. Et elle, s'interrogea-t-elle soudain, était-elle amoureuse de lui ? Ou sur le point de l'être ? Elle en arrivait presque à s'en convaincre…

Elle chercha sa sœur du regard, sans la voir parmi les invités. Elle était peut-être montée se changer avant de partir en voyage de noces. Comme Emiliano parlait à un groupe de jeunes gens qui semblait captivé par ses paroles, Lauren s'éloigna vers un petit salon désert pour être un peu seule, loin du brouhaha de la salle de réception.

Sauf que la pièce n'était pas déserte…

Toujours vêtue de sa robe de mariée, Vikki étudiait son reflet dans l'immense miroir vénitien placé au-dessus de la cheminée. Celui-ci faisant face à la porte, Lauren remarqua immédiatement l'expression étrangement angoissée de sa sœur. Les paroles qu'Emiliano avait prononcées la veille lui revinrent à la mémoire et ses propres inquiétudes resurgirent instantanément.

— Vikki… Que se passe-t-il ? Tu es heureuse, n'est-ce pas ?

Sa cadette pivota, visiblement étonnée de la trouver là.

— Bien sûr, dit-elle en commandant un sourire rayonnant sur ses lèvres. Comment pourrait-il en être autrement ? C'est seulement le bébé qui lance des petits coups de pied.

— C'est que… Tout ce qui t'arrive est si soudain, avança Lauren. Le mariage, le bébé… Es-tu absolument sûre de vouloir cette vie-là ?

— Je sais ce que je fais, répondit Vikki en martelant ses mots.

— Tu n'as jamais été très attirée par la maternité…

— C'est juste, mais je peux apprendre à être maternelle, non ? Et avec un mari si beau et si excessivement riche à mes côtés, je ne vois pas de meilleur moyen d'y parvenir, expliqua Vikki en riant.

— J'aurais préféré que tu attendes un peu avant de fonder une famille. Au moins un an ou deux, le temps de bien vous connaître l'un et l'autre.

— Ma pauvre Lauren, ce que tu peux être démodée ! Du reste, tu l'as toujours été. Et naïve aussi, sans vouloir te vexer.

— Naïve, moi ?

— Bien sûr !

D'un geste large, sa sœur embrassa le décor somptueux et sa coûteuse robe de mariée.

— Tu crois que tout ce tralala aurait eu lieu si je n'avais pas forcé la main d'Angelo en provoquant une grossesse ?

Devant son silence atterré, Vikki se mit à rire de plus belle.

— Allons, ne prends pas cet air effaré, grande sœur. Après tout, tu n'es pas si différente de moi : j'ai bien vu la façon dont tu cherchais à amadouer le grand frère hier soir. Après être passés sur la terrasse, vous avez disparu tous les deux. Dis-moi, as-tu réussi à l'amener jusqu'au lit ?

— *Vikki !*

— Non, ne dis rien. Je vois que tu es arrivée à tes fins. Je parie que c'est un véritable étalon entre les draps.

A la fois indignée et horriblement embarrassée, Lauren rougit jusqu'aux oreilles.

— Wouaw ! Ça devait être extra alors, s'exclama Vikki. Plus ardent que le vieux banquier vicieux que tu essayais de ferrer, non ? Jusqu'à ce que tu repères l'opportunité de mettre la main sur une fortune encore plus colossale. Je suis fière de toi, grande sœur. Vraiment ! Je ne pensais pas que tu aurais le cran de miser sur Emiliano Cannavaro. Tu as beaucoup grandi dans mon estime. Si tu t'y prends bien, tu pourrais tout avoir : richesse, statut social et du sexe fantastique aussi apparemment.

— Ça suffit ! s'écria Lauren, outrée. Ne parlons pas de moi, tu veux ? C'est toi qui m'inquiètes. Que voulais-tu dire par « provoquer une grossesse » ? Tu n'as quand même pas…

— … renoncé à la pilule dans l'intention délibérée de tomber enceinte ? Bien sûr que si ! Comment crois-tu autrement que j'aurais pu amener ce célibataire invétéré à me demander en mariage ? Il y a cinq mois, quand nous nous sommes remis ensemble, j'ai décidé que les choses allaient changer. Un type aussi beau et aussi riche croise rarement plus d'une fois le chemin d'une femme. J'étais donc déterminée à ne pas le laisser filer.

Puis d'un ton brusquement enthousiaste, Vikki poursuivit :

— Mais tu ne comprends donc pas ? Tu t'es parfaitement entendue avec le grand frère, qui est de la dynamite. Ça veut dire que tout marche comme nous l'avions prévu !

Lauren fronça les sourcils, à la fois alarmée et consternée par ce qu'elle entendait. Jamais elle n'avait pensé que sa sœur pût être aussi sournoise et aussi calculatrice. Elle demeura muette, incapable de trouver ses mots.

— Bon, d'accord, tu n'as pas encore mis le grappin sur le beau Emiliano, reprit sa cadette, décidément intarissable. Et s'il ressemble un tant soit peu à son frère, il risque de prendre ses jambes à son cou quand il comprendra ce que tu essaies de faire. Alors, un conseil, jolie sœur sexy : joue-la finement, avec ton sourire sage et ton air de tenir les hommes à distance, qui a toujours eu pour effet de décupler leur ardeur. Et tu verras que ce splendide don Juan n'y verra que du feu. Il pense peut-être être maître de lui mais entre tes mains, il n'aura plus aucune volonté et tu en feras ce que tu veux.

Lauren ravala son souffle. Le discours de sa sœur était ahurissant !

— Je… Je n'arrive pas à croire…

— … que j'ai toujours la liste ? coupa Vikki.

— La *liste* ? Quelle liste ?

La confusion de Lauren était si totale qu'elle formula cette question dans une sorte de hoquet, qui sonna comme un rire hystérique. Aussitôt elle s'en voulut, car ce que racontait sa sœur n'était absolument pas drôle.

— Notre liste des célibataires les plus en vue, tu te souviens ? Ceux que nous rêvions d'épouser. Ces deux play-boys italiens occupaient la meilleure place.

Des voix à l'extérieur, puis l'irruption d'une invitée cherchant les toilettes empêchèrent Lauren de répondre. Mais dès que la femme eut refermé la porte en s'excusant, elle reprit ses esprits.

— Si tu crois que j'approuve ta conduite, Vikki, c'est que tu me connais très mal ! Je te prie de ne pas m'inclure dans tes plans dénués de scrupules. Très franchement, je suis effarée ! Que tu aies pu être assez irresponsable pour tomber volontairement enceinte alors que tu ne désires pas d'enfant, c'est déjà grave ; mais que tu oses faire ça pour contraindre Angelo à t'épouser, c'est absolument immoral ! Ça dépasse tout ce dont je te croyais capable. Comment peux-tu t'abaisser à ce point ?

Elle rappela à sa sœur que leur rêve d'épouser des milliardaires italiens n'avait été qu'un jeu d'adolescentes. Elle pensait que Vikki l'avait oublié — comme elle — dès qu'elle avait grandi ! Celle-ci la pria de ne rien dire à personne, et surtout pas à Emiliano, parce qu'elle faisait partie de la puissante famille Cannavaro désormais.

— Il est capable de se venger de façon terrible s'il pense qu'on a voulu le piéger, lui ou un membre de sa famille, déclara Vikki d'une voix que la panique rendait plus aiguë. Ça va te paraître difficile à croire, mais j'aime vraiment Angelo. Sincèrement.

Lauren se resservit une tasse de café, le regard perdu dans ses souvenirs. Elle avait oublié ce que sa sœur et elle s'étaient dit après ça. Un peu plus tard, dans un état second, elle avait regardé Vikki et son mari monter dans le taxi qui les emmenait à l'aéroport, d'où ils s'envoleraient pour la Turquie. Angelo répondait aux plaisanteries grivoises de ses amis célibataires et Vikki souriait à travers la pluie de confettis qui se déversait sur eux.

Ils donnaient l'image d'un couple parfait.

Lauren n'aurait pas imaginé qu'elle puisse être plus anéantie qu'elle ne l'était déjà. Cependant, en rentrant dans l'hôtel, elle faillit heurter Emiliano qui traversait le hall au pas de course, son attaché-case à la main. En voyant ses traits sombres et durs comme le granit, son moral dégringola encore un peu plus.

— Tu pars ? balbutia-t-elle.

— A quoi t'attendais-tu, *cara mia* ? répliqua-t-il, glacial. Que j'allais rester et me ridiculiser comme mon frère ? C'est ce que tu espérais ? Combien de temps avais-tu prévu de me tester avant de pouvoir cocher fièrement mon nom sur ta précieuse liste ?

Lauren se figea de stupeur.

— Tu as entendu ? demanda-t-elle dans un souffle.

— *Sí*. J'ai entendu.

— Mais… comment ?

C'était tout ce qu'elle était capable de dire tant elle était blessée par les conclusions fausses et le ton cinglant d'Emiliano.

— Peu importe, laissa-t-il tomber avec mépris. Je venais te chercher pour t'inviter à dîner. Et heureusement pour moi, car si je n'avais pas eu cette idée, je n'aurais rien su de tes projets machiavéliques et tu aurais pu continuer à me prendre pour un imbécile. Et je n'ose même pas imaginer jusqu'à quel point ! Mais grâce à cette édifiante conversation entre toi et ton opportuniste de sœur, je comprends maintenant à quel jeu tu jouais.

— Ce n'était pas un jeu ! s'écria-t-elle, éperdue.

Seigneur… Comment pouvait-il penser cela ? Elle devait absolument lui expliquer.

— Emiliano ! l'appela-t-elle désespérément comme il se remettait en marche. Tu ne dois pas croire que je suis d'accord avec ce que Vikki a dit.

Il s'arrêta.

— Rien de plus facile, pourtant, répondit-il durement. Si ma mémoire est bonne, tu avais l'air de t'amuser.

Lauren secoua la tête, tâchant de se rappeler ce qui avait pu lui donner cette impression. Mais elle avait l'esprit trop confus pour passer en revue l'entretien pénible qu'elle avait eu avec Vikki.

— Justement, si ta mémoire est bonne, tu dois te souvenir que je n'ai pas cherché à attirer ton attention, se défendit-elle d'une voix faible. Quand tu es venu me parler, je ne t'ai certainement pas encouragé, ni aguiché.

— Pas avant que tu n'apprennes qui j'étais. Mais ton attitude distante ne fait-elle pas partie de ton stratagème pour « décupler l'ardeur des hommes » ? Avoue que ça a fonctionné. Ta sœur t'a même félicitée d'avoir opéré si habilement. Après tout, rien n'est plus stimulant pour un homme que d'être repoussé par la jolie femme qui l'intéresse. Bien tenté, *bella mia*. Seulement, je n'ai pas l'intention de figurer sur la liste d'une sale petite croqueuse de diamants !

Lauren accusa le coup. Il ne servait à rien de le convaincre que cette fameuse liste n'était qu'un jeu inventé par deux adolescentes romantiques de quatorze et seize ans pendant un dimanche pluvieux. Emiliano n'était pas d'humeur à l'écouter.

— C'était… agréable, conclut-il. D'habitude, je n'aime pas les mariages. Merci pour la distraction. Tu as rendu cette sinistre comédie… inoubliable.

Un sourire froid aux lèvres, il abaissa un regard sombre vers ses seins qui se soulevaient à un rythme rapide. Puis il sortit de l'hôtel, laissant Lauren affreusement humiliée au milieu du hall.

Dix mois plus tard, le mariage de Vikki prenait fin et elle quittait sa belle maison du Hertfordshire avec Daniele pour se réfugier chez un ami. Le mois suivant, elle perdait le contrôle de sa voiture alors qu'elle et Angelo se disputaient violemment. Ils venaient de déjeuner ensemble pour régler les détails de leur divorce et elle le ramenait vers le parking où il avait laissé sa voiture.

Terrassée par ces souvenirs tragiques, Lauren enfouit le visage dans ses mains et fondit en larmes.

3.

En débarquant à l'aéroport d'Heathrow, Emiliano se félicitait des succès professionnels qu'il avait remportés au cours de la semaine passée, en particulier la résolution d'un conflit entre la direction et des techniciens qui avait menacé de retarder le lancement d'un nouveau navire de croisière. Et cet après-midi, il avait finalisé le rachat d'une compagnie européenne de ferries. Les actions de la Cannavaro Lines avaient fait un bond en Bourse.

Il avait donc toutes les raisons d'être satisfait et de s'offrir des vacances bien méritées dans sa villa, ce qu'il se promettait de faire depuis longtemps. Restait un obstacle à surmonter : il avait la ferme intention d'emmener son neveu avec lui…

Une pluie battante avait succédé au crachin quand il s'engagea sur l'autoroute du Nord. Les pneus de sa puissante voiture de location faisaient de grandes gerbes d'eau dans le trafic très dense de la fin de journée.

Par politesse, il aurait dû prévenir Lauren de sa venue. Mais s'il ne l'avait pas fait, c'était pour une bonne raison : quelques jours plus tôt, il lui avait parlé au téléphone depuis son bureau de Rome pour l'informer de sa décision, et elle s'était farouchement opposée à lui.

Bah, il n'y avait pas de problèmes dont il ne pouvait venir à bout, se dit-il, confiant. Les choses les plus compliquées, il fallait les attaquer de front. C'était une leçon qu'il avait apprise très tôt.

Quelques heures plus tard, il arriva en vue des collines du Lake District ; il retrouva aisément le chemin de la ferme de Lauren Westwood. Sous la pluie, les vieux bâtiments aux toits d'ardoise paraissaient sinistres.

Il frappa à la porte de l'habitation, mais n'obtint pas de réponse. Faisant le tour de la maison, il vit que la porte de derrière était entrouverte. Un tricycle était abandonné dans le vestibule qui menait dans la cuisine. Il se décida à entrer, en appelant pour manifester sa présence.

Cette fois encore, il s'étonna de la pauvreté des lieux dans lesquels vivait Lauren, et qui étaient bien loin de l'appartement moderne et élégant qu'il avait imaginé après leur aventure d'une nuit. Il avait encore du mal à concilier la créature sophistiquée qu'il avait rencontrée au mariage de son frère, deux ans plus tôt, et qui avait jeté son dévolu sur lui, avec la jeune femme ébouriffée mais néanmoins désirable qu'il avait vue une semaine plus tôt.

Car il la trouvait toujours désirable, il ne pouvait se mentir.

Il se raidit en entendant des pas résonner sur les dalles de l'entrée. Une jeune femme brune apparut sur le seuil de la cuisine, portant un enfant sur sa hanche.

Le petit garçon observa Emiliano gravement avant de porter son regard derrière lui. Son visage se crispa sous l'effet de la déception.

— Laa-wen… Où elle est ? demanda le bambin d'une voix apeurée.

— Qui êtes-vous ? demanda en même temps la jeune femme en toisant Emiliano.

Elle portait un pantalon de velours et une épaisse chemise écossaise. A son expression à la fois farouche et méfiante, il était clair qu'on ne l'abusait pas facilement. Emiliano se présenta poliment avant de demander à voir Lauren.

— Désolée, elle est sortie, répondit la jeune femme, qui ne s'était pas troublée le moins du monde en entendant son nom.

A l'inverse de Lauren Westwood, qui l'avait ouvertement aguiché en découvrant qui il était, se remémora-t-il avec amertume.

Un maelström d'émotions complexes le saisit quand la petite main de l'enfant se tendit pour toucher sa cravate de soie rayée. Il avait des cheveux bruns et des yeux étonnamment bleus. Le fils de son frère... Il ne put s'empêcher de prendre la main minuscule dans la sienne.

— Tu es Daniele, dit-il doucement.

Emiliano aurait voulu emmener le petit garçon sur-le-champ. Il regrettait de toutes ses forces que son frère ait été aussi stupide et aussi indifférent pour le laisser à sa tante — s'il fallait en croire ce que disait celle-ci. Il l'aurait élevé légalement, comme un Cannavaro, et sans tous les tracas auxquels il devait faire face aujourd'hui. A cette pensée, il réprima un soupir.

— Veux Laa-wen ! geignit Daniele.

« Eh bien, mon petit bonhomme, tu n'es pas le seul », admit Emiliano en lui-même. Bon sang ! Plus vite il emmènerait son neveu loin de cet endroit, mieux cela vaudrait.

— Je m'appelle Fiona, déclara la jeune femme brune, d'un ton aimable cette fois. Danny n'aime pas quitter Lauren une seule minute.

Elle ajusta l'enfant sur sa hanche.

— C'est moi qui vais te garder ce soir, mon chou, lui dit-elle avec douceur. Car Lauren a un rendez-vous important demain matin.

Elle regarda Emiliano avec inquiétude et consulta sa montre.

— J'espérais qu'elle serait de retour avant que je ne parte. Elle devrait être là depuis un bon moment.

Il brûlait de lui dire qu'il était l'oncle de Daniele et que, par conséquent, elle pouvait le laisser avec lui. Elle céderait peut-être s'il insistait. Mais son neveu ne le connaissait pas et il ne voulait pas le déstabiliser. Sans compter qu'il tenait à parler à Lauren.

— Je pourrais peut-être aller la chercher ? suggéra-t-il

en sentant que la jeune femme était pressée de rentrer chez elle avec l'enfant.

Quelques minutes plus tard, ayant reçu les indications nécessaires, Emiliano remonta en voiture. La pluie était moins dense à présent, mais le soir tombait. Il alluma les phares pour percer la grisaille humide en espérant qu'il n'était rien arrivé à Lauren Westwood.

— Ça va aller, Brutus. Je vais te sortir de là, dit Lauren d'un ton apaisant au chien couché à ses pieds.

Au fond d'elle cependant, elle commençait à désespérer. Le border collie l'avait suivie depuis le manoir de Stephen. Distrait par un mouvement dans le champ qui longeait le chemin, il avait plongé dans une brèche de la clôture en fils barbelés et était resté prisonnier de l'enchevêtrement de fils acérés.

Lauren espéra que le conducteur de la voiture qui venait de piler derrière eux les avait vus et avait compris leur détresse. En entendant la portière se refermer, elle regarda par-dessus son épaule et n'en crut pas ses yeux.

— Emiliano !

Le soulagement qu'elle avait ressenti en comprenant qu'on venait à son secours s'évanouit instantanément pour faire place à la nervosité.

Il s'avança et, au premier coup d'œil, comprit la situation. Sans un mot, il se glissa entre les barbelés, sans égard pour son élégant costume ou ses belles chaussures cirées, plus adaptées à une salle de conférences qu'à un terrain marécageux.

Il se redressa de l'autre côté, les cheveux déjà mouillés par le crachin incessant.

— Ta baby-sitter commençait à s'inquiéter, déclara-t-il. Et moi aussi.

Lauren continuait de le fixer, médusée.

— Fiona est la responsable de l'écurie, rectifia-t-elle en sortant enfin de son hébétude. Elle s'occupe de chevaux qui sont en pension chez moi.

« En plus d'être une amie et de proposer de garder Danny chaque fois que j'en ai besoin », ajouta-t-elle en silence.

— Je vois.

Emiliano s'accroupit devant Brutus qui, en dépit de sa fâcheuse posture, se mit à remuer la queue.

— Du calme, le chien, dit-il en tapotant doucement la tête de l'animal.

Lauren eut alors la certitude que tout irait bien désormais. Ensemble, ils commencèrent à retirer délicatement le fil de fer enroulé autour de l'abdomen du collie.

— Depuis combien de temps est-il coincé ainsi ? demanda Emiliano.

— Environ une demi-heure. Il me suivait, comme il le fait souvent. Il a vu un lapin dans le champ et il s'est jeté dans cette brèche. Je ne pouvais pas le laisser ainsi.

— Qui est Stephen ? Fiona m'a dit que tu étais partie le voir au manoir.

Elle se demanda pourquoi Emiliano lui posait cette question. Après tout, ce n'était pas comme s'ils étaient ensemble et qu'il ait matière à se montrer jaloux.

— Il travaille à la laiterie où j'achète mon lait et mes œufs, expliqua-t-elle brièvement.

« Et il a cinquante-trois ans, une femme et quatre enfants », pensa-t-elle, sans trop savoir pourquoi elle taisait ces informations.

— Quant au manoir, poursuivit-elle, il s'agit en fait de la plus grande ferme des environs. Pourquoi ? Tu m'imaginais en train de tenter ma chance auprès de la bourgeoisie locale parce que je n'avais pas réussi à mettre la main sur toi ?

Elle regretta aussitôt sa boutade, qui laissait entendre qu'elle nourrissait des sentiments pour lui. Elle se sentit encore plus stupide car Emiliano ne daigna pas lui répondre.

— Je t'ai déjà dit l'autre jour que je ne voulais pas

que tu emmènes Danny hors du pays, reprit-elle d'un ton ferme, craignant soudain que ce soit précisément le but de sa visite.

— Oui, je sais.

Ses cheveux retombaient légèrement sur son front tandis qu'il ôtait patiemment les derniers barbelés qui emprisonnaient la patte de Brutus. Ses longs doigts manipulaient avec habileté le treillage acéré et, malgré elle, Lauren songea que ces mains-là l'avaient caressée et excitée de façon inouïe. Aucun homme jusque-là ne lui avait procuré une telle jouissance physique.

— Voilà, c'est fini, mon vieux.

Enfin libéré, le collie se redressa et entreprit de manifester sa reconnaissance envers Emiliano par de grands coups de langue. Le bel Italien se mit à rire en cherchant à éviter ces débordements d'affection.

Lauren sourit, accueillant avec soulagement cette distraction qui la détournait de ses pensées déconcertantes. Puis elle examina Brutus avec attention, cherchant d'éventuelles blessures qui nécessiteraient l'avis d'un vétérinaire. Satisfaite de constater qu'il n'avait que des touffes de poils arrachées, elle ramassa la bouteille de lait qu'elle avait posée dans l'herbe et saisit l'animal par le collier.

— Rentre à la maison, Brutus. Allez ! ordonna-t-elle en lui tapotant l'échine.

Quand il obéit enfin, s'élançant en direction du manoir, Lauren se tourna vers Emiliano. Ses cheveux noirs étaient couverts de minuscules gouttelettes, des traces de terre maculaient sa chemise et ses luxueuses chaussures étaient boueuses.

— Oh ! Il y a un accroc à ta manche, constata-t-elle d'un ton désolé.

Emiliano haussa les épaules.

— Ce n'est qu'un costume.

Elle aurait préféré entendre une autre réponse, parce que

ce commentaire détaché le rendait presque sympathique. Et ce constat lui déplaisait.

— Nous parlions de Danny, reprit-elle.

— C'est *toi* qui parlais de Daniele.

— Tu l'as vu ?

Au lieu de répondre, il se dirigea vers sa voiture et elle dut courir après lui.

— Emiliano…

— Ce n'est ni l'heure ni le lieu pour en discuter, lâcha-t-il, maussade, en ouvrant la portière côté passager. Je suis trempé. Et si tu restes cinq minutes de plus sous cette pluie, tu vas te retrouver clouée au lit avec une pneumonie !

Ce disant, il leva les yeux vers les arbres dégoulinants et les nuages sombres qui s'accumulaient au-dessus de la vallée.

— J'ai l'habitude, répondit-elle.

Emiliano enveloppa du regard ses cheveux roux mouillés, son pull de laine et son jean humides, et, pour la première fois depuis qu'il était arrivé, elle prit conscience qu'elle devait avoir l'air d'un épouvantail.

Il ébaucha un sourire railleur.

— L'habitude de quoi ? De rester au lit avec une pneumonie ? De courir la campagne pour sauver les chiens errants ?

— Brutus n'est pas un chien errant. C'est le border collie de Stephen, l'informa-t-elle froidement en montant dans la limousine d'Emiliano.

Elle le vit froncer les sourcils et elle en conçut une délectable satisfaction.

Emiliano alluma la vieille gazinière et mit la bouilloire sur le feu. Lauren prenait une douche à l'étage et il entendait l'eau circuler bruyamment dans les canalisations. C'était lui qui avait insisté dès qu'ils étaient rentrés pour qu'elle utilise en premier la salle de bains.

Santo dio ! Comment pouvait-on vivre sous un climat pareil ? se demanda-t-il en contemplant par la fenêtre la cour noyée de pluie. Il revoyait Lauren accroupie dans l'herbe sous cette météo exécrable, essayant de dégager le chien, et il n'arrivait pas à concilier l'image de la jolie créature rusée et cupide qu'il gardait d'elle avec cet environnement rustique et austère.

Il allait lui faire du café et ensuite, il lui parlerait de sa proposition. Et si l'idée de le voir s'impliquer totalement dans la vie de son neveu ne lui plaisait pas… eh bien, tant pis pour elle ! Elle avait eu Daniele assez longtemps comme ça. Il était temps que l'enfant connaisse la famille de son père et qu'il grandisse en sachant d'où il venait, avec ou sans l'accord de Lauren Westwood. Il n'allait pas renoncer à ses responsabilités envers l'enfant de son frère. Et encore moins l'abandonner, comme Angelo l'avait fait !

Il était si absorbé par ses réflexions qu'il n'avait pas remarqué que l'eau avait cessé de gargouiller dans la tuyauterie quand un bruit derrière lui le fit se retourner.

Le spectacle qui s'offrit à sa vue lui coupa le souffle : Lauren entrait dans la cuisine, enveloppée dans un court peignoir fleuri dont le satin fluide épousait les mouvements de son corps aux courbes sublimes. Ses cheveux roux encore humides étaient répandus sur ses épaules pour sécher naturellement. Sa bouche s'assécha lorsqu'il commença à détailler la si féminine silhouette, jusqu'aux pieds nus aux ongles vernis. En dépit des pensées négatives qu'il nourrissait à l'égard de la jeune femme, un désir brûlant le traversa.

Lauren capta le regard d'Emiliano sur elle et redressa fièrement le menton : elle ne se laisserait pas intimider. Après tout, elle était chez elle ! Il était appuyé contre l'évier, une tasse de café à la main, aussi à l'aise dans sa modeste cuisine au plafond bas et écaillé que dans ce palace londonien, deux ans plus tôt.

Il s'était débarrassé de sa veste et de sa cravate et elle ne put s'empêcher d'admirer furtivement ses superbes épaules. Avec ses cheveux en désordre et sa chemise tachée par le sauvetage de Brutus, il avait l'air d'un pirate, sauvage et ténébreux. Elle frémit…

Sur le plan de travail, elle remarqua que le bocal où elle gardait les biscuits était ouvert et qu'il manquait ceux au chocolat que Danny préférait. Il ne restait qu'une poignée de gâteaux ordinaires. Cela lui aurait été égal si elle avait pu remplacer les friandises manquantes, mais elle n'en avait pas les moyens en ce moment. Elle ne toucherait son salaire que le surlendemain.

— Je te prie d'excuser mes manières, dit-il en suivant son regard. Je n'ai pas mangé depuis des heures.

D'un pas déterminé, elle alla ouvrir l'un des placards et en sortit un gâteau, qu'elle posa sur la table.

— Désolée, ce n'est qu'un simple quatre-quarts, déclara-t-elle froidement avant d'en couper une large part. Si j'avais su que tu venais, j'aurais mis quelque chose dedans.

— C'est peut-être une chance pour moi que tu ne l'aies pas fait, répondit-il en esquissant un sourire bref.

Elle posa sur lui un regard agressif.

— Contrairement à ce que tu peux penser de moi, je n'ai pas l'habitude d'empoisonner les milliardaires italiens, dit-elle d'un ton cynique. Du moins, pas avant de les avoir épousés et de les avoir forcés à changer leur testament en ma faveur !

Emiliano se mit à rire, mais son intonation âpre n'échappa pas à Lauren.

— C'était ce que tu avais en tête le soir où tu m'as séduit, *cara* ?

— Bien sûr que non. Tu étais trop jeune et en trop bonne santé pour qu'on ait pu croire à une mort naturelle, ironisa-t-elle.

Emiliano se mit à rire de plus belle.

— C'est pour cette raison que tu préfères les hommes plus âgés ? Comme ce vieux banquier à qui tu faisais les yeux doux ?

— Pas du tout ! Si tu veux le savoir, ce type me barbait mortellement.

Posant avec fracas l'assiette qui contenait le morceau de gâteau, elle ajouta :

— Si tu veux autre chose, le pub du village sert de très bons steaks le vendredi soir. Je t'en aurais volontiers cuit un moi-même, mais comme tu as déjà dû le remarquer, je n'ai plus grand-chose dans mes placards. Maintenant, en dehors de la nourriture, qu'est-ce que tu veux ?

— Tu le sais parfaitement.

Oui, bien sûr, il parlait de Danny. Comme si elle pouvait l'oublier ! Mais en rencontrant son regard troublant, tandis qu'il mordait à belles dents dans sa part de quatre-quarts, elle se demanda s'il ne faisait pas aussi allusion à autre chose. Ou était-ce son esprit en surchauffe qui lui jouait des tours ?

Les premiers boutons de sa chemise étaient défaits, exposant sa gorge hâlée. De nouveau, un léger frisson la parcourut. A travers la fine étoffe, elle devinait la toison sombre qui couvrait son large torse musclé.

Elle humecta ses lèvres sèches et prit la tasse de café qu'il avait remplie pour elle. En d'autres circonstances, cette scène domestique l'aurait peut-être amusée.

— Pourquoi souris-tu ? demanda-t-il.

Et bien entendu, rien ne lui échappait… Elle réprima un soupir.

— Parce que je suis là, dans ma cuisine, à servir un milliardaire qui me prend non seulement pour une aventurière de la pire espèce, mais aussi pour une ravisseuse ! Avoue que c'est plutôt drôle, non ?

— Prouve-moi que tu n'es rien de tout cela.

— Je n'ai pas besoin de prouver quoi que ce soit à quiconque. J'ai ma conscience pour moi.

Il avala sa part de gâteau en deux bouchées, puis hocha la tête pensivement, comme s'il admettait que sa réponse était sensée. Lui donnait-il le bénéfice du doute ? se demanda-t-elle en buvant une gorgée de café.

Il ramena ses cheveux en arrière avec ce geste sensuel qui n'appartenait qu'à lui. C'est alors que Lauren remarqua la tache de sang au bord de sa manche et les égratignures qui striaient l'intérieur de son poignet.

— Tu t'es coupé.

— Ce n'est rien, répondit-il avec désinvolture en reprenant sa tasse.

— *Rien ?*

De là où elle se trouvait, Lauren voyait la peau écorchée.

— Tu ferais mieux de laver ça et de mettre de l'antiseptique. Tu risques d'attraper le tétanos ou une autre infection, surtout que des animaux sauvages ont pu passer à travers ces barbelés.

— Très bien, si tu insistes. Tu voudrais le faire pour moi ?

Il avait proposé cela d'une voix tendre qu'elle n'avait plus entendue depuis le matin où elle s'était réveillée dans ses bras, dans sa suite de l'hôtel.

Cependant, son premier réflexe fut de lui dire d'aller au diable. Après tout, il l'avait jugée et traitée de façon abominable ce fameux soir. Puis elle se dit qu'il ne se serait pas blessé s'il avait refusé de l'aider à secourir Brutus. Or il n'avait même pas hésité une seconde.

Résolument, Lauren posa sa tasse et alla chercher la boîte à pharmacie. Elle prit un tampon d'ouate qu'elle mouilla sous le robinet et attendit qu'Emiliano eût déboutonné son poignet avant d'appliquer délicatement le tampon sur la blessure.

Elle vit qu'il retenait son souffle.

— Désolée. Je ne voulais pas te faire mal.

— En es-tu sûre ? la taquina-t-il.

Après ça, il ne dit plus mot. Lauren lui prit la main dans sa paume et nettoya soigneusement les souillures. Dans le silence seulement troublé par le tic-tac de la pendule, elle avait une conscience aiguë de sa respiration régulière. Parfois, il prenait des inspirations plus profondes, comme s'il voulait humer le parfum de ses cheveux.

Il n'était pas le seul à faire ça ! La senteur familière de son eau de toilette l'étourdissait, ravivant un flot de souvenirs. Elle se rappelait le goût musqué de sa peau quand elle avait tracé de la langue un sillon provocant sur son torse, et la façon dont il avait empoigné ses cheveux pour mieux diriger ses caresses et ses baisers sur son corps splendide et si viril.

Incapable de continuer à lui prodiguer des soins alors que les images érotiques se bousculaient dans son esprit, Lauren se résolut à prendre la parole :

— Je n'avais pas programmé ce qui s'est passé à Londres, tu sais, annonça-t-elle d'une voix sourde. Même si tu veux penser le contraire.

Son torse se souleva et il laissa échapper un long soupir.

— Mais je n'ai pas *voulu* penser ça, Lauren. Quoi qu'il en soit, cette histoire appartient au passé et il vaut mieux l'oublier.

— Non ! s'exclama-t-elle, catégorique. Tu es peut-être capable d'oublier, mais pas moi. Personne ne m'a accusée d'une chose aussi sordide pour ensuite s'en tirer à bon compte. Je ne sais pas ce que tu penses avoir entendu quand tu écoutais à cette porte. Certaines choses que Vikki a dites ce soir-là étaient franchement condamnables, mais là n'est pas le problème. En revanche, je peux t'assurer que je ne toucherai pas à ton argent ou à ton cher style de vie, Emiliano Cannavaro ! Et si tu m'accuses de retenir Danny dans le but d'obtenir une compensation financière, alors je t'avertis que ce sera moi qui te traînerai au tribunal. Pour diffamation !

— Tu devrais essayer le tampon à récurer, suggéra-t-il d'un ton moqueur en regardant son poignet.

Un élan de culpabilité envahit Lauren quand elle se rendit compte qu'elle frottait sa peau avec trop de vigueur. Pour autant, elle refusa de s'excuser.

— C'est peut-être ce que je devrais faire, en effet !

Puis reprenant le contrôle sur elle-même, elle inspecta la plaie et constata qu'elle était parfaitement nettoyée.

— Maintenant, il va falloir mettre un pansement.

Soudain, Emiliano lui saisit le bras et l'attira vers lui. Le souffle de Lauren se bloqua dans sa poitrine.

— Et toi, *bella mia*, tu devrais t'habiller.

Elle essaya de se dégager, tout en luttant contre les sensations brûlantes qui prenaient possession d'elle-même.

— Lâche-moi ! s'écria-t-elle, paniquée.

Il laissa échapper un rire bref.

— Pas avant que nous ayons trouvé un terrain d'entente au sujet de Daniele.

Elle se raidit, tâchant d'étouffer les sentiments que suscitaient en elle la dangereuse proximité d'Emiliano, son parfum grisant et la force latente, presque animale, qu'elle devinait sous son apparente sophistication.

— Je t'ai donné ma réponse par téléphone il y a quelques jours. Maintenant, lâche-moi !

— Quand ton pouls bat sous mes doigts comme un tam-tam ? Quant à tes jolis yeux verts, *cara mia*… Ils en disaient long ce soir-là quand nos regards se sont croisés à travers la salle de bal. Ils te trahissent encore à présent. Ils m'affirment que nous étions faits pour être amants, même si nous voudrions qu'il en soit autrement.

Il desserra ses doigts. Elle pouvait s'écarter, se dégager de son emprise, mais le regard sombre et la voix suggestive d'Emiliano agissaient sur ses sens comme une drogue hypnotique. Et quand ses longs doigts tirèrent doucement la ceinture de son peignoir, elle fut paralysée par le désir.

Les pans du vêtement s'écartèrent dans un mouvement

fluide, révélant sa culotte mauve et le renflement de ses seins trop volumineux à son goût.

— Tu devrais savoir qu'il ne faut pas tester ma résistance, *cara*, déclara-t-il d'une voix caressante. Ni la tienne.

Quand le bras ferme d'Emiliano s'enroula autour de sa taille et que ses lèvres descendirent à la rencontre des siennes, Lauren se porta vers lui dans un élan passionné de tout son être. L'attirance lui faisait perdre la tête et, tout en répondant au baiser ravageur d'Emiliano, elle pressait son corps presque nu contre lui. Dans un ultime effort pourtant, elle tenta de comprendre cette réaction qui allait à l'encontre de sa volonté. Bon sang ! Elle détestait cet homme. Pourquoi alors le laissait-elle faire ?

Sa joue mal rasée griffait sa peau et ce contact l'excitait, tout comme la chaleur de sa peau qu'elle percevait à travers la soie fine de sa chemise et la tension de sa puissante virilité pressée contre son ventre. C'était exactement ce qu'elle désirait ! Elle voulait cet homme. Maintenant !… Et peu lui importaient les remords et l'humiliation qui s'ensuivraient.

Quand Emiliano écarta le peignoir et que sa paume cueillit l'arrondi d'un sein, Lauren suffoqua avant de se tendre sous l'effet de sa caresse.

— Tu es si belle, murmura-t-il d'une voix rauque.

Doucement, il lui mordilla l'oreille, avant de souligner du bout des lèvres la ligne de son cou jusqu'au creux sensible de son épaule. Puis il la ploya en arrière et, de la bouche, happa la pointe dressée de son autre sein. Lauren laissa échapper une plainte de pur plaisir.

— Je… Je te déteste ! haleta-t-elle.

C'était un cri du cœur ridicule et désespéré peut-être, mais tant pis, il fallait qu'il sache.

Emiliano releva la tête.

— Et ce que nous faisons n'en est que plus excitant, n'est-ce pas, *bella mia* ? Le fait que nous en ayons envie en dépit de ce que nous pensons l'un de l'autre.

« Non ! C'est totalement insensé et immoral », songea-t-elle.

D'une voix éraillée et tremblante qu'elle ne reconnut pas, elle réussit à articuler :

— Je… Je ne te désire pas.

Il s'écarta immédiatement.

— Non, bien sûr que non, souligna Emiliano d'un ton railleur, en fixant, paupières mi-closes, ses seins gonflés et palpitants.

Vivement, Lauren ramena son peignoir autour d'elle et en noua fermement la ceinture. Elle nota que le visage d'Emiliano était tendu, et elle n'eut pas besoin de baisser les yeux pour savoir qu'il en allait toujours de même un peu plus bas…

— Je suis humaine, se défendit-elle en luttant contre les pulsations délicieuses entre ses cuisses. Et inutile de prendre cet air si satisfait. Tu es riche, puissant et pas mal physiquement. Un condensé irrésistible pour n'importe quelle femme, en somme. De nos jours, nous avons le droit de prendre ce que nous voulons chez un homme sans que cela signifie autre chose qu'une attirance purement physique.

Un sourire crispé joua sur les lèvres d'Emiliano. Il était clair qu'il luttait lui aussi pour reprendre son *self-control*.

— Tu as une vision très moderne des choses, murmura-t-il. Dans ce cas, ma proposition a des chances d'aboutir. Plus que je ne le pensais.

— Quelle proposition ?

Si elle n'avait aucune idée de ce qu'il avait en tête, elle était certaine en revanche que ce qu'il s'apprêtait à lui dire ne lui plairait pas…

— La voici : tu m'autorises à emmener Daniele pour un mois. Mais avec une nouvelle condition à la clé.

— Laquelle ?

— Que tu l'accompagnes.

Seigneur ! C'était une plaisanterie ?

Elle mit quelques secondes à reprendre ses esprits.

— Pour quelle raison ? s'enquit-elle en croisant les bras sur sa poitrine.

— Il te connaît. Il sera plus heureux si tu es là.

— Qu'est-ce que tu espères au juste ?

— Oh ! ne prends pas cet air effarouché, Lauren. Si je n'avais pas mis fin à ce que nous faisions tout à l'heure, tu sais très bien comment cela aurait fini, dit-il en levant un regard explicite vers le plafond. Il est clair que nous sommes toujours tentés par ce qu'il y avait entre nous il y a deux ans, même si nous n'avons aucune sympathie l'un pour l'autre. Je veux connaître Daniele et nous pourrions profiter tous les deux de cette opportunité. La solution me semble parfaite.

Lauren fut parcourue d'un violent tressaillement sensuel, qui fit courir la chair de poule le long de son dos. Bon sang ! Comment pouvait-elle désirer cet homme à ce point alors qu'il continuait à la mépriser ? En dépit de ce qu'elle venait d'affirmer, elle ne croyait pas vraiment qu'une femme puisse s'abandonner à un homme sans s'impliquer sentimentalement envers lui. Et voilà où cette conclusion la menait…

— Et si je refuse de te laisser emmener Danny, que ce soit avec ou sans moi ?

— Tu connais déjà la réponse à cette question, dit-il d'une voix dangereusement calme. Ne me pousse pas à bout.

Il lui ferait un procès pour obtenir la garde ? Oui, c'était ce qu'il insinuait. Un procès qu'elle perdrait à coup sûr…

— Je ne veux pas te blesser, reprit-il en voyant qu'elle avait compris où il voulait en venir. Mais en refusant, tu ne me laisserais pas le choix.

— Le choix ? Mais je n'en ai aucun de toute façon ! protesta-t-elle avec amertume.

Il esquissa un hochement de tête qui se voulait une

confirmation. Seigneur… Comment défier un homme aussi puissant qui vous proposait un tel ultimatum ? se demanda-t-elle, abattue.

En contrepartie, il lui offrait de ne pas la séparer de Danny, en même temps que la promesse de purs moments d'extase physique… et toute la honte qui s'ensuivrait quand le délai d'un mois prendrait fin, mais encore une fois, elle n'avait aucune échappatoire.

— Très bien. J'accompagnerai mon neveu, décréta-t-elle d'une voix blanche. Pour m'occuper de lui et veiller à son bien-être. Mais si tu penses que nous allons reprendre là où nous en étions restés il y a deux ans, tu te trompes ! Je ne serai pas ton jouet, Emiliano. Ni maintenant ni plus tard.

Lauren avait parfaitement conscience qu'après ce qui venait de se passer, ses paroles ne pesaient pas bien lourd. Parce que, comme Emiliano l'avait dit, si les choses avaient suivi leur cours tout à l'heure, ils seraient en ce moment même couchés dans son lit à l'étage.

Il lui fit la grâce de ne pas le lui rappeler.

— Je te contacterai dans un jour ou deux, dit-il seulement en prenant sa veste.

A l'instant où la porte d'entrée se refermait sur lui, Lauren se rendit compte qu'elle ne lui avait même pas demandé où il avait l'intention de les emmener, Danny et elle…

4.

Etendu sous la véranda encadrée d'hibiscus et de lauriers-roses, Emiliano regardait la jeune femme et le petit garçon barboter dans les vagues, au loin. Il avait encore du mal à croire à sa chance.

Il n'avait pas prévu que Lauren céderait si facilement quand il avait insisté pour qu'elle l'accompagne aux Caraïbes, avec Daniele — Danny, comme elle s'obstinait à l'appeler. Certes, il ne lui avait pas laissé le choix. S'il l'avait fait, elle ne se trouverait certainement pas sur cette jolie plage de sable rose en ce moment. Quand il l'avait embrassée, dans sa cuisine, il avait constaté l'effet qu'il avait toujours sur elle — et réciproquement ! Alors, il lui avait paru tout à coup impératif qu'elle vienne avec Daniele et lui.

Son regard navigua du bambin, qui semblait s'amuser comme un fou, à la belle créature rousse seulement vêtue d'un Bikini bleu pâle qui ne cachait presque rien de son corps voluptueux. Sa flamboyante chevelure était remontée en chignon, ce qui découvrait sa nuque gracile et son dos. Sa peau pâle avait déjà pris quelques couleurs. A cet instant, elle se pencha vers son neveu qui lui tendait quelque chose — sans doute un coquillage. Elle se mit à rire et, d'un geste tendre, lui ébouriffa les cheveux.

Ils voulaient tous deux élever Daniele ; or c'était impossible : le bien-être de l'enfant en pâtirait. Résultat, ils se trouvaient dans une impasse.

Lorsqu'il était venu la voir dans sa ferme pour la première

fois, deux semaines plus tôt, il avait cru qu'il serait facile de la convaincre et qu'elle lui rendrait son neveu sans discuter s'il y mettait le prix. Il n'avait certainement pas envisagé de se trouver face à une jeune femme vivant en pleine campagne, farouchement attachée à ses valeurs morales, loin de la vamp qu'il avait entraînée dans son lit à Londres. Il se demanda soudain s'il ne l'avait pas jugée trop vite…

Le rire cristallin de Lauren lui parvint. Elle faisait mine de poursuivre Daniele, puis l'attrapait et le soulevait dans ses bras. Ravi, le petit garçon riait aux éclats, sa tête brune nichée au creux de l'épaule de la jeune femme, sa main innocente posée sur un sein qui jaillissait hors du bonnet du Bikini. Elle se tourna vers le large pour lui montrer un canot à moteur qui fendait l'eau transparente.

Emiliano déglutit avec peine. La vue du délicieux postérieur de Lauren à peine masqué par le triangle du maillot avait suscité en lui une réponse physique éloquente. Il voulait absolument se trouver seul avec elle !

Quelques instants plus tard, ayant laissé un peu d'avance à Daniele, Lauren reprit sa course sur le sable et le rattrapa au pied de la terrasse de la villa.

Toute blanche et d'architecture originale, la maison, bâtie à flanc de colline, se profilait contre le vert luxuriant de la végétation tropicale. Ses murs drapés de bougainvilliers s'ornaient de balcons en fer forgé, qui donnaient sur le parc et sur la petite plage bordée de palmiers — seulement accessible depuis la maison ou l'océan.

Arrivés la veille sur l'île principale, ils avaient rejoint en jet privé cette île paradisiaque, plus petite et moins peuplée. Lauren avait été surprise par l'élégante simplicité des lieux. Elle s'était figuré, lui avait-elle avoué, qu'il était, à l'instar de son frère, un adepte des villégiatures huppées fréquentées par la *jet-set*.

La jeune femme prit son neveu dans ses bras et le déposa en haut des marches. Daniele se mit à courir vers lui.

— *Buongiorno, piccolo*, lui lança-t-il.

Le petit garçon s'accrocha à son bermuda et lui sourit. Emiliano le hissa dans ses bras.

— Lauren t'a fait courir jusqu'ici ? chuchota-t-il d'un air complice. Oui ? *Santo cielo!* Tu crois qu'il faut lui donner une fessée ?

— Peut-être qu'elle n'a pas envie d'en recevoir une, déclara-t-elle d'un ton aigre-doux.

Emiliano lui coula un long regard sensuel, notant la tension qui raidissait sa silhouette sculpturale.

— Depuis quand les punitions ont-elles quelque chose à voir avec ce que l'on désire ou non ? la taquina-t-il.

— C'est pour cette raison que tu m'as fait venir, Emiliano ? Pour me punir ?

— Si c'est le cas, c'est raté. Car c'est moi qui suis puni, murmura-t-il d'une voix traînante.

Elle fronça les sourcils puis, presque involontairement, son regard vert glissa vers le bermuda qu'il portait, dont le tissu se tendait à l'entrejambe.

— Ah…, lâcha-t-elle.

Emiliano perçut un léger trémolo dans sa voix. Sans doute n'avait-elle pas conscience d'être aussi provocante dans cette tenue, les mains posées sur les hanches, les seins fièrement dressés. Ou peut-être savait-elle exactement ce qu'elle faisait, au contraire…

Il l'aurait volontiers attirée sur ses genoux et se serait délecté de son petit cri de surprise. Non qu'il ait l'intention de battre son joli postérieur : c'était un fantasme de macho et il ne se définissait pas comme tel. Mais au moins, Lauren se serait retrouvée dans ses bras et il aurait pu caresser ses courbes affolantes.

Emiliano leva les yeux au ciel et se ressaisit. Ces pensées étaient totalement inappropriées, surtout quand il tenait Daniele dans ses bras ! Doucement, il posa le petit garçon à terre, l'embrassa sur la joue et appela l'employée de maison, une métisse native de l'île.

— Constance, voulez-vous conduire ce petit bonhomme à sa chambre pour une sieste bien méritée ? *Grazie.*

Lauren se dit que si Constance n'avait pas eu l'âge d'être la mère d'Emiliano, sans doute aurait-elle fondu sur place en recevant le sourire dévastateur qu'il lui adressa. De son côté, elle était contrariée de voir une autre femme emporter Danny.

— Il me manque déjà, dit Emiliano en les regardant disparaître vers l'intérieur de la villa, comme s'il avait lu dans ses pensées.

— Tu ne l'as pas beaucoup vu, c'est le moins qu'on puisse dire !

S'avançant, elle prit place dans le fauteuil en rotin face à son hôte. Elle s'empara du verre de thé glacé que Constance avait posé sur la table basse pour elle. Emiliano lui jeta un regard perplexe. Etait-ce sa conscience qui le taraudait, parce qu'il aurait dû exiger de savoir où se trouvait Daniele au lieu de se contenter des réponses évasives que son frère lui avait données ?

— Je lui ai envoyé des cadeaux, mais je sais que ce n'était pas suffisant, s'excusa-t-il.

Lauren s'immobilisa, son verre à la main.

— Des *cadeaux* ?… Nous n'avons jamais reçu quoi que ce soit !

A la façon dont elle plissait le front, la mine perplexe, Emiliano sut qu'elle disait la vérité.

— Quel genre de cadeaux ? reprit-elle.

Il secoua la tête dans un effort pour se souvenir.

— Une sorte de tracteur sur lequel l'enfant peut s'asseoir, je crois. Il y avait aussi un ours en peluche… Je les ai remis à Angelo. Il m'a dit qu'il les lui donnerait.

Lauren l'imaginait incapable de choisir des cadeaux pour un bébé ; toutefois, elle se garda bien de le lui dire.

— Il ne l'a pas fait.

Emiliano s'assombrit. Une récente vérification des finances désastreuses de son frère lui avait appris qu'aucun virement n'avait été effectué en faveur de Lauren pour couvrir la charge financière que représentait Daniele. Et il ne lui avait même pas remis les cadeaux ! Bon sang, à quoi Angelo avait-il joué ?

— Pourquoi ne m'as-tu pas dit que mon frère n'avait jamais pourvu aux besoins de Daniele ? demanda-t-il, effaré. Pourquoi n'as-tu rien réclamé ?

— Parce qu'il ne voulait pas avoir de liens avec son fils, répondit-elle gravement. A plusieurs reprises, je l'ai invité à venir le voir, mais il ne s'est jamais déplacé. Alors, j'ai décidé que Danny et moi, nous n'aurions pas de relations avec lui. Ni avec aucun d'entre vous.

Autrement dit, elle était trop fière et trop indépendante pour revendiquer quoi que ce soit… Il le comprenait maintenant, et prenait aussi conscience qu'il l'avait trop vite cataloguée, deux ans plus tôt, en la mettant dans le même sac que son opportuniste de sœur. En fait, elle n'avait rien de commun avec Vikki Westwood, dont il avait cerné la personnalité dès le moment où Angelo la lui avait présentée. C'était à Rome. Son frère lui avait annoncé qu'il se fiançait et Emiliano se rappelait avoir accueilli Vikki en lui souhaitant la bienvenue au sein de la famille Cannavaro. Celle-ci avait laissé échapper un rire charmeur et avait tourné légèrement la tête, si bien que le baiser amical qu'il lui destinait avait atterri sur les lèvres de la jeune femme.

A cet instant, il avait su que Vikki Westwood était le genre de fille à problèmes.

— Est-ce que tu es disposé à me croire maintenant ? demanda Lauren, l'air sceptique.

— En tout cas, je ne comprends pas comment tu as pu laisser mon frère s'en tirer à si bon compte ! louvoya Emiliano pour éviter de répondre. Pourquoi ne t'es-tu pas adressée à moi ?

Elle eut un petit hoquet incrédule, qui s'envola avec

le bruissement de la brise tiède dans les palmiers. Avant qu'elle ne prenne la parole, il connaissait déjà sa réponse...

— Alors que tu m'avais accusée d'en avoir après ton argent ? s'indigna Lauren. Désolée, j'avais eu ma dose d'humiliation. Et ton *charmant* frère aurait contesté mes dires, de toute façon !

— Il m'aurait surtout dit de me mêler de mes affaires.

N'était-ce pas ce qu'Angelo avait eu coutume de lui répondre chaque fois qu'il l'avait pressé de questions sur un sujet qui le dérangeait ? Qu'il s'agisse de fournir sa part de travail au sein de l'entreprise familiale, de cesser de boire, de revoir son attitude envers les femmes ou de son fils...

Intriguée par l'émotion qui imprégnait tout à coup les traits si séduisants de son compagnon, Lauren dut réprimer le brusque élan de sympathie qui la portait vers lui.

— Je devrais peut-être te répondre la même chose, suggéra-t-elle d'une voix mal assurée.

Il lui jeta un regard oblique.

— Tu penses que ce qui touche à Daniele ne me regarde pas ?

Oh si, bien sûr : n'était-il pas son oncle ? Mais elle était frustrée qu'il ne l'ait pas consultée avant de donner à Constance l'ordre d'emmener Danny faire la sieste.

— Ce n'est pas parce que j'ai consenti à te suivre ici que j'accepte que quelqu'un d'autre s'occupe de mon neveu. C'est moi qui élève Danny. Je vais laisser faire Constance pour cette fois, mais à l'avenir, j'ai bien l'intention de lui donner son bain, de le faire manger et de le border dans son lit le soir, comme je l'ai toujours fait.

— Très bien, tu le feras si c'est ce que tu veux, acquiesça-t-il, conciliant. Je me suis simplement dit que tu apprécierais une pause.

Surprise et touchée par sa prévenance, Lauren resta coite. Elle ne savait plus que penser. D'autant qu'elle se rendait compte qu'elle réagissait de façon excessive en voulant protéger Danny à tout prix.

— Il est important qu'une mère à plein temps puisse s'accorder des moments de détente de temps à autre, poursuivit Emiliano. Chose que tu n'as pas dû faire souvent depuis un an, j'imagine ?

— C'est vrai, reconnut-elle.

Et pour faire oublier sa conduite ridiculement possessive, elle ajouta d'une voix contrite :

— Merci.

— Dans ce cas…

Emiliano enleva son T-shirt et le jeta de côté, exposant ses larges épaules et son torse de bronze couvert d'une toison sombre.

— … allons nous amuser maintenant !

Emiliano lui prit la main, la força à se lever et l'entraîna vers la plage en courant. Une fois sur le sable, il ne ralentit pas son allure ; Lauren peinait à le suivre.

— Hé… Arrête ! haleta-t-elle. Je ne suis pas capable de courir aussi vite que toi.

— Oui, pardon.

Il pila net. Emportée par son élan, Lauren ne put l'éviter. A la dernière seconde, elle leva les mains pour se rétablir et ravala un petit cri en rencontrant le rempart solide de son torse.

— Décidée à me toucher, Lauren ? commenta-t-il, railleur. Je pensais que c'était contraire à nos règles.

— Y a-t-il des règles, en dehors de celles que tu imposes ?

Il ne répondit pas et se contenta d'émettre un claquement de langue aussi réprobateur qu'amusé. Le roulement des vagues emplit le silence entre eux, que Lauren se décida enfin à rompre :

— De toute façon, s'il y en a, tu les briseras, jeta-t-elle d'un ton accusateur.

Comme il brisait les gens ! Par-delà les années, les

paroles de Vikki lui revinrent à la mémoire. Un frisson de crainte l'envahit. Etait-ce le sort qu'il lui réservait si elle ne se soumettait pas à sa volonté ?...

— Tu as peur de moi, *cara* ?

Elle releva la tête dans un sursaut. Ne lui avait-il pas déjà posé cette question la veille du mariage de Vikki ?

— Non !

En dépit de cette réponse véhémente, elle était bien obligée de s'avouer qu'elle avait peur. Du chagrin qu'il lui causerait s'il décidait d'obtenir la garde de Danny, certes, mais peur d'elle-même surtout, des sensations follement érotiques que suscitait sa proximité et qui rugissaient en elle comme des déferlantes. Son pouls se mit à battre à un rythme effréné.

— *Santo cielo !* J'ai l'impression, *bella mia*, que nous avons tous les deux besoin de nous rafraîchir.

Elle eut à peine le temps de se demander s'il ressentait la même chose qu'elle que sans autre avertissement, il la souleva de terre. Elle laissa échapper un cri de surprise en se trouvant plaquée contre son corps bouillant d'énergie.

— Pose-moi !

— Ah... Ça fait partie de tes règles ? Je croyais qu'il n'y en avait pas.

— Si, il y en a ! Pose-moi tout de suite.

— Mais les règles, je les brise, comme tu dis si bien.

Il se remit en marche et bientôt, tout en la portant, il se mit à patauger dans les vagues. A chaque pas énergique qu'il faisait, ses jambes musclées disparaissaient un peu plus dans l'eau translucide.

— Qu'est-ce que tu as l'intention de faire ? s'alarma Lauren. Je t'en prie, ne me jette pas !

— Non, pas question.

Mais le sourire malicieux qui éclairait son visage séduisant démentait cette affirmation. Lauren tourna vers la mer un regard effaré avant de reporter son attention sur les traits amusés du bel Italien.

— Si jamais tu fais ça, tu vas le regretter !

— Quel caractère ! Et que pourrais-tu faire pour me faire regretter de te jeter à l'eau ?

Il la défiait et Lauren devait admettre que son insistance l'excitait. Elle se cramponna à son cou comme si sa vie en dépendait.

— Qu'y a-t-il ? Tu ne sais pas nager ?

— Pas trop loin, sinon je panique. Emiliano, arrête, je t'en prie !

Il se mit à rire.

— Moi qui pensais que tu étais une femme capable de tout.

— Je le suis, se défendit-elle d'un ton farouche. Mais mon expérience de survie ne s'étend pas jusque-là.

Puis elle comprit soudain à quel jeu il jouait. Ce play-boy la faisait marcher pour qu'elle se serre davantage contre lui. Il profitait de la situation, le mufle !

— Très bien. Lâche-moi, espèce de tyran ! Pour voir si… *Aaah !*

Lauren tomba dans une gerbe d'écume. Sous l'eau, elle suffoqua, mais se ressaisit très vite. Apercevant les jambes d'Emiliano plantées fermement sur le fond sableux, elle lui saisit un mollet à deux mains et tira, lui faisant perdre l'équilibre. Elle était déjà sur pied et revenait vers la plage quand elle l'entendit émerger des vagues.

— Alors, comme ça, tu ne sais pas nager, hein ? lui lança-t-il.

Sa voix ironique contenait la promesse de représailles. Lauren songea qu'il avait dû la voir nager dans la piscine de la villa, très tôt le matin même, quand personne n'était encore levé. Il n'aurait pas eu la cruauté de la jeter à l'eau sinon.

— *Cara*, tu ferais mieux de m'attendre, reprit-il en haussant la voix. Parce que tu ne vas pas aller loin, je te le garantis !

« C'est bien ce qu'on va voir ! », se dit Lauren en

commençant à courir vers l'ombre rafraîchissante des palmiers, à l'extrémité de la plage. Le sable humide et tiède était aussi moelleux qu'un tapis sous ses pas. Jetant un coup d'œil par-dessus son épaule, elle constata qu'Emiliano gagnait du terrain. Une sourde exaltation l'envahit en voyant son corps ruisselant et ses cheveux plaqués sur son front.

Il avait une foulée énergique et fougueuse. Comprenant qu'il ne tarderait pas à la rattraper, elle décida de mettre fin à son petit jeu et bifurqua vers la villa. Elle était trop peu vêtue pour jouer au chat et à la souris avec lui.

Elle se retourna vers lui et se mit à courir à reculons.

— Ma parole ! Tu es trempé, lança-t-elle en riant.

— Oui, je me demande pourquoi !

— Tu l'as mérité.

— C'est vraiment ce que tu penses ?

Il riait, mais une lueur déterminée brillait dans son regard sombre.

— Bon, d'accord. Je suis désolée, capitula-t-elle.

— Trop tard, *cara mia*.

Emiliano avait ralenti sa course, mais il continuait à avancer tel un dangereux prédateur.

— Il n'est jamais trop tard, plaida-t-elle en levant les mains. Tu vas le regretter.

Ce disant, Lauren s'efforça de dominer l'excitation qui montait en elle.

— Je ne le pense pas, la taquina-t-il. Et nous avons déjà testé ce genre de situation, n'est-ce pas ?

Lauren laissa échapper un petit cri de surprise quand son pied heurta un galet. Perdant l'équilibre, elle tomba à la renverse. Au-dessus d'elle, le rire grave d'Emiliano titilla ses sens.

Elle se redressa sur un coude.

— Très bien, j'ai perdu. Que comptes-tu faire maintenant ?

Les prunelles ténébreuses de son compagnon s'attardèrent sur ses seins, qui se soulevaient à un rythme rapide. Sa pose provocante leur donnait encore plus d'ampleur.

— Quelque chose dont tu as envie depuis l'instant où tu m'as vu traverser la cour de ta ferme. Quelque chose qui ne nous a pas quittés depuis que nos regards se sont croisés à cette soirée londonienne…

Brusquement, il fit mine de se coucher sur elle mais se tint en équilibre sur ses bras tendus, sans la toucher. Lauren voyait les muscles de ses biceps saillir, ses pectoraux se tendre. A l'idée que sa formidable carrure allait la couvrir et se presser contre elle, un vertige la saisit. Elle se rallongea sur le sable chaud, de dos, autant pour accroître l'écart entre eux que pour inviter Emiliano à la rejoindre.

Quand enfin il s'étendit sur elle, elle laissa échapper un soupir saccadé.

— Tu n'es qu'un vil séducteur !

— Et tu aimes ça.

Seigneur… Etait-ce la vérité ? Etait-elle assez folle pour batifoler avec un homme qui la méprisait, et qui ne manquait pas l'occasion de le lui faire savoir ?

— Non, c'est faux, protesta-t-elle.

Mais sa respiration hachée démentait cette déclaration.

— Alors, tu aimes ceci…

Le murmure d'Emiliano était comme une caresse sensuelle. Il approcha les lèvres de sa gorge. La sensation était si intime et si prometteuse que Lauren laissa échapper un petit gémissement.

— Et ceci…, poursuivit Emiliano en mordillant la peau tendre de son cou jusqu'à la courbe douce de sa joue. Je me souviens des réponses de ton corps, si réceptif pendant ces quelques heures que tu as passées dans mon lit, *carissima*. Si ma mémoire est bonne, tu me suppliais de te faire… ceci !

Il abaissa le haut de son Bikini, ce qui arracha à Lauren un cri rauque. Une folle excitation la saisit tout entière. De la lave en fusion courait dans ses veines.

— Ouvre les yeux, lui ordonna-t-il.

Elle obéit à contrecœur. Ses seins nus se dressaient, lourds et frémissants ; Emiliano les contemplait, fasciné. Quand il les cueillit doucement dans ses paumes pour caresser leurs pointes durcies, Lauren se figea sous l'effet d'un plaisir irrésistible et déroutant.

Telle une flèche ardente, le désir la transperça jusqu'au cœur de sa féminité. Cet homme avait le don de l'émoustiller sans le moindre effort, de l'électriser à son gré jusqu'à faire vibrer des zones insoupçonnées de son être. Il la faisait sienne à sa guise…

— Emiliano, susurra-t-elle.

Son prénom sur les lèvres de Lauren était comme une musique envoûtante. Emiliano se pencha et prit possession de sa bouche. Un gémissement de satisfaction monta de la gorge de la jeune femme et, de manière explicite, elle l'invita à approfondir leur baiser. Le souffle saccadé, elle mêla sa langue à la sienne avec fougue, tandis qu'elle glissait les doigts dans ses cheveux.

Lauren perdait la tête. Le corps viril et chaud d'Emiliano la plaquait contre le sable. Les grains s'incrustaient dans son dos, décuplant ses sensations, rendant l'étreinte terriblement érotique. La toison de son torse titillait ses seins. A travers le petit triangle de Lycra qui couvrait son sexe, elle percevait la puissance de son érection. Enivrée, elle se cambra en écartant les jambes pour un contact plus intime.

Elle était à lui… et il le savait ! Esclave de son propre désir, qu'elle croyait enseveli à jamais sous les insultes odieuses qu'il lui avait lancées jadis, désamorcé par la honte et l'humiliation qui l'avaient accablée ensuite. Mais non, elle désirait vraiment cet homme, c'était une évidence. Et tandis que ses mains lui moulaient les seins, qu'il amena vers ses lèvres, elle se vrilla sous lui comme une nymphe sauvage et débauchée.

— Ton corps est fait pour l'amour, murmura Emiliano d'une voix rauque. Mais pas pour n'importe quel amant…

Il aspira longuement l'un de ses tétons avant d'ajouter :

— Il est fait pour moi. Et nous l'avons su dès la première fois où nous nous sommes embrassés, n'est-ce pas, *bella mia* ?

Lauren répondit par une plainte sourde. Incapable de renoncer aux délicieuses tortures d'Emiliano, elle s'arqua davantage pour se plaquer contre sa bouche.

Tout à coup, la pensée qu'elle était son jouet sexuel traversa son esprit alangui. Tout cela allait à l'encontre de ses convictions de femme indépendante et libre. Mais son corps avait pris le contrôle, et il ne voulait rien d'autre que les attentions passionnées de cet homme. Sur ce constat implacable, elle leva les bras au-dessus de sa tête en signe de total abandon.

Emiliano le comprit car il glissa les mains sous ses fesses pour la hisser contre son excitation. Son membre était dur et brûlant, et elle était prête pour lui. Une fois franchie la barrière de leurs maillots, elle l'accueillerait en elle. Encore quelques secondes et…

Elle n'était pas protégée ! Cette pensée la tira brutalement de sa torpeur sensuelle. En même temps, elle prit conscience de quelque chose d'autre. Un enfant pleurait !

Danny !

Lauren reprit aussitôt ses esprits en entendant son neveu hurler à pleins poumons depuis la villa.

— Je dois y aller !

Elle s'agita sous Emiliano, mais cette fois pour se dégager.

— Du calme, dit-il en essayant de la retenir. Comme tous les petits garçons, il refuse de prendre son bain, c'est tout.

— Non. Il ne pleure pas de cette façon d'habitude, expliqua Lauren en ajustant le haut de son Bikini. Il y a un problème. Il faut que j'y aille.

Une sourde angoisse la rongeait pendant qu'elle remontait la plage en courant. Emiliano la rattrapa alors qu'elle atteignait les marches de la terrasse ; tous deux levèrent les yeux vers Constance, qui sortait de la villa, affolée.

— Monsieur Cannavaro, j'allais vous chercher ! Le petit garçon… Il est inconsolable ! J'ai essayé de le coucher, mais il n'arrête pas de réclamer Mlle Westwood. J'ai d'abord pensé qu'il avait été piqué par un insecte, mais apparemment, ce n'est pas ça.

Folle d'inquiétude, Lauren se rua dans l'escalier. L'une des chambres du premier étage avait été aménagée en nurserie juste avant leur arrivée. Elle ouvrit la porte à la volée.

Une jeune femme de chambre berçait un Daniele en larmes. Le visage très rouge, les joues ruisselantes, il se mit à hurler plus fort en la voyant. Immédiatement, il lui tendit les bras.

— Tout va bien, mon chéri, murmura-t-elle contre ses cheveux. Ce n'est rien, Danny. Je suis là… Maman est là.

Elle se rendit compte qu'elle avait prononcé le mot « maman » sans réfléchir. Elle tenait à ce que Danny l'appelle par son prénom. C'était mieux ainsi : elle n'était que sa tante et elle aurait eu l'impression de trahir Vikki en prenant sa place.

Un sentiment farouchement protecteur la submergea. Heureusement, les cris de détresse de Danny cessèrent pour laisser place aux sanglots.

— Alors, a-t-il été piqué par un insecte ? fit la voix d'Emiliano derrière elle.

Lauren dut admettre qu'elle avait complètement oublié son compagnon — qui avait pourtant failli redevenir son amant quelques secondes plus tôt… Par-dessus la tête de Danny, elle remarqua que ses traits énergiques étaient creusés par l'inquiétude.

— Non, dit-elle brièvement.

Elle avait eu le temps d'examiner le visage et les membres de l'enfant, pour constater qu'il ne portait aucune trace de piqûre.

— Comment peux-tu en être aussi sûre ? demanda-t-il, soucieux.

— Il ne se serait pas calmé aussi vite sans cela. Il n'a pas l'habitude que quelqu'un d'autre que Fiona ou moi le mette au lit, voilà tout.

Les épaules d'Emiliano se détendirent visiblement sous le T-shirt qu'il avait eu le temps de récupérer sous la véranda. Des épaules puissantes, lisses et dures comme l'acier…

Dans un sursaut, elle se rappela qu'ils feraient l'amour sans retenue à présent s'ils n'avaient pas été interrompus. Et sans protection ! Etrange, car Emiliano n'avait pas été négligent, lors de leur seule nuit commune. Non sans honte, elle se demanda si, dans le feu de l'action, l'un ou l'autre aurait eu la force de s'écarter…

Tandis qu'elle berçait Danny, qui somnolait sur son épaule en suçant ses doigts, elle fut incapable de rencontrer le regard sombre de l'Italien. A quoi pensait-il ? A leurs ébats interrompus sous les palmiers ? A son neveu qui, Dieu soit loué, n'avait rien de grave ?

— C'est ça, être parent, murmura-t-elle, avec un léger haussement d'épaules.

Contre toute attente, elle le vit fermer les yeux, et ses beaux traits hâlés se figèrent en un masque impénétrable. Peut-être n'appréciait-il pas que Danny ait besoin d'elle à ce point… Oui, ce pourrait être une explication à ce brusque changement d'humeur.

Elle fut encore plus déconcertée quand il quitta la pièce sans un mot, la laissant là avec Constance et la jeune femme de chambre.

5.

Lauren commençait vraiment à apprécier les vacances dans ce petit paradis tropical, où chaque jour était consacré à la détente.

En dehors des baignades, ils organisaient des barbecues sur la plage et Emiliano montrait à son neveu les pélicans qui plongeaient, souvent en bande, dans les belles vagues. Parfois aussi, quand il s'absentait sur l'île principale pour régler des affaires et que Danny faisait la sieste, Lauren savourait la quiétude des lieux depuis le balcon de la jolie chambre qu'on lui avait attribuée, ou depuis la véranda. Etendue sur un transat, elle écoutait la mer, les oiseaux et le vent…

La seule chose qui l'empêchait de profiter pleinement de ce séjour idyllique, c'était l'attirance mutuelle et toujours latente entre Emiliano et elle. Elle avait pourtant essayé de mettre les choses au point avec lui au lendemain de leur aventure torride sur la plage :

— Tu crois peut-être qu'en acceptant de venir ici je consentais à reprendre notre relation là où nous l'avions laissée. Il n'en est rien. Et ça ne ferait que compliquer la situation. Donc, nous allons devoir nous abstenir sur ce plan.

Emiliano lui avait jeté un regard dubitatif en disant :

— C'est possible, tu crois ?

En entendant l'incrédulité dans sa voix, elle avait senti sa détermination vaciller. Il avait raison : comment pouvaient-ils s'arrêter là ? Dès qu'il s'approchait d'elle, tout son corps se mettait à vibrer d'excitation…

Quand Lauren descendit dans le salon, elle vit Emiliano posté devant la fenêtre ouverte. Un pied posé sur le rebord, il regardait la mer tout en parlant au téléphone. En T-shirt beige et pantalon de toile, il était aussi époustouflant qu'en costume d'homme d'affaires.

— Oh !… Je suis désolée, s'excusa-t-elle.

Elle était sur le point de quitter la pièce quand il se détourna et leva une main pour la retenir.

— Merci, dit-il à son interlocuteur d'un ton chaleureux. Je serais très heureux de prendre la parole à l'inauguration, bien sûr. J'attends ce moment avec impatience.

Lauren devina qu'il parlait à une sommité locale.

— Tu es très populaire ici, fit-elle remarquer dès qu'il eut raccroché. L'autre jour, Constance m'a dit qu'on avait donné ton nom à un service de l'hôpital local.

Parce qu'il avait financé un équipement médical très coûteux, lui avait rapporté l'employée de maison avec fierté. Ainsi, les habitants n'avaient plus à se rendre sur l'île principale pour recevoir certains traitements spécifiques.

— *Sí*. Mais je n'étais pas tout seul. Beaucoup de gens de la communauté se sont investis dans ce projet. Je n'ai fait que présenter le chèque final, expliqua Emiliano avec cette modestie qu'elle commençait à lui connaître.

Lauren découvrait peu à peu que cet homme complexe était beaucoup moins superficiel qu'elle ne l'aurait cru.

— J'ai pensé que tu aimerais peut-être voir ceci, dit-elle en se rappelant soudain le motif de sa venue. Dès que tu auras un moment, bien sûr.

Elle se sentait gauche tout à coup de montrer un album photos à un homme qui aidait les autres par-delà les continents en fournissant du matériel qui sauvait des vies.

Emiliano examina l'inscription en lettres dorées gravée sur la couverture.

— « Notre bébé », lut-il à voix haute.

— Je l'avais acheté pour Vikki et Angelo, mais ils se sont séparés avant que j'aie pu le leur offrir, dit Lauren très vite.

Elle espérait qu'il ne tirerait aucune conclusion fausse de cet album, comme imaginer qu'elle considérait Danny comme un enfant qu'ils auraient eu ensemble…

— Tous les bébés ont droit à ce genre d'albums, reprit-elle. Je ne voulais pas que Danny en soit privé sous prétexte qu'il n'avait plus sa maman et que son père ne souhaitait pas le connaître. J'ai mis à l'intérieur toutes les photos de sa naissance que j'avais, plus celles que j'ai prises depuis qu'il vit avec moi.

Emiliano tourna les pages lentement, s'attardant de temps à autre sur une photo qui retenait son attention. Une expression attendrie s'était peinte sur son visage.

— Tu as rassemblé une belle collection, dit-il avec une pointe d'admiration. Je t'en suis vraiment reconnaissant.

Reconnaissant ? Pourquoi ? Parce qu'il pensait qu'elle allait lui confier Danny ? Une crainte sourde envahit Lauren.

— Merci, mais je ne l'ai pas fait pour toi, répondit-elle d'un ton sec.

Pourtant, si elle était honnête avec elle-même, il lui fallait reconnaître qu'elle avait aussi fait cet album pour qu'Angelo et le reste de la famille Cannavaro prennent conscience de ce qu'ils avaient perdu en abandonnant Danny.

Voyant qu'Emiliano s'était rembruni, elle regretta sa remarque puérile.

— Pourquoi, chaque fois que nous abordons le sujet de mon neveu, te mets-tu sur la défensive ?

Irritée, Lauren prit une profonde inspiration.

— Peut-être à cause de références comme celle-ci : « *mon* neveu ».

— Mais Daniele *est* mon neveu ! Et je n'ai jamais caché mon intention de l'adopter.

— Jamais de la vie ! Il faudra me passer sur le corps, riposta-t-elle avec véhémence.

— Oh ! Pour ça…, commença-t-il, un sourire aux lèvres.

— Ça suffit ! dit vivement Lauren en s'empourprant.

— Tu as raison, ce n'est pas drôle, admit-il plus sérieusement. Mais bon sang, Lauren, essaie de faire preuve de logique : un garçon a besoin d'un père.

— Et d'une mère.

Emiliano plissa le front.

— Ça, c'est plus discutable.

— Pas pour moi !

Il posa l'album sur la table basse et prit un air conciliant.

— Tu ne comprends pas que je ne veux que le meilleur pour Daniele ?

— Et tu crois que ce n'est pas mon cas ?

— Je sais combien tu es attachée à lui. Mais ne serait-il pas honnête de lui donner toutes les chances de prendre un bon départ dans la vie ? Chose que toi, en tant que parent isolé et dans ta situation matérielle précaire, tu ne peux lui offrir.

Etait-elle égoïste, comme il le sous-entendait, de nier à l'enfant de Vikki le droit de profiter de ce que la famille de son père pourrait lui procurer ?

— Toi aussi, tu serais un parent isolé, lui opposa-t-elle faute d'arguments.

— *Sí*. Mais je serais entouré d'une équipe d'éducateurs et de nourrices que j'ai les moyens de payer.

— Tu crois que tous ces gens seront capables de donner à Danny l'amour dont il a besoin ? Est-ce qu'ils sauront l'empêcher de se réveiller en pleurs la nuit parce qu'on l'a arraché à la seule famille qu'il connaissait ?…

Il se rapprocha d'elle et posa les mains sur ses épaules. Elle le repoussa de toutes ses forces.

— Arrête ! lui ordonna-t-elle. Non !

Parce que le laisser faire, ce serait renier les règles qu'elle s'était fixées et reconnaître qu'elle était incapable de lui résister.

— Tu ne réussiras pas à m'amadouer comme ça ! s'écria-t-elle.

Emiliano baissa les bras. Il n'en était pas moins intimidant, campé devant elle, la dominant de sa haute taille et de son indéniable autorité.

— Ça ne mène nulle part, Lauren, déclara-t-il en laissant échapper un profond soupir. Je ne veux pas m'opposer à toi. C'est vraiment une perte de temps que de se disputer.

— Alors, ne le fais pas, dit-elle faiblement.

Elle était lasse, elle aussi. Des larmes de découragement lui montèrent aux yeux. Vivement, elle se détourna et quitta la pièce pour ne pas montrer à Emiliano à quel point cette situation l'affectait.

Une grande complicité s'établissait entre Emiliano et Danny. Un jour que l'oncle et le neveu jouaient dans la piscine, Lauren lui demanda en riant s'il comptait faire de Danny un champion de natation. Il avait passé des brassards aux bras du petit garçon et elle s'émerveillait de la patience et de la gentillesse dont il faisait preuve avec l'enfant. Celui-ci riait aux éclats en créant de grandes éclaboussures.

Il appréciait de plus en plus cet oncle disponible qu'il pliait facilement à sa volonté et à ses jeux. Emiliano s'y prêtait de bonne grâce, n'hésitant pas à ployer son grand corps pour « faire le cheval » ou à s'allonger sur le plancher du salon pour construire patiemment des tours en cubes, que Danny semblait ensuite si heureux de démolir.

L'enfant laissait maintenant Emiliano et Constance le mettre au lit le soir, mais c'était toujours sa tante qu'il réclamait lorsqu'il tombait. Il n'y avait qu'elle pour sécher ses larmes, frotter ses genoux et le câliner.

— Je pense que tu as bien mérité un dîner en ville, lui dit Emiliano un soir où Danny avait mis pas moins de deux heures à s'endormir.

Lauren sourit, heureuse qu'il soit venu la rejoindre dans la chambre — même si sa présence la rendait nerveuse.

— Oh ! Je croyais que tu allais dire que j'avais mérité une médaille, murmura-t-elle, épuisée.

— Oui, aussi. Va te reposer. Je vais rester un moment au cas où il se réveillerait encore.

Et comme elle hésitait, il insista :

— Dors bien, Lauren. Demain soir, nous sortirons.

Ils dînèrent dans un restaurant typique du port, un établissement de style colonial avec des tables disposées sur le front de mer. En dégustant le cocktail à base de rhum qu'on lui avait servi, Lauren se sentit étourdie. Sa tension disparaissait.

— Tu as meilleure mine, dit Emiliano, assis en face d'elle.

Dès qu'ils eurent terminé leur plat de poisson, Lauren prit son téléphone posé sur la table. Emiliano l'arrêta en posant une main sur la sienne.

— Non. Il va sûrement très bien. Et au besoin, Constance nous appellera.

Lauren capitula, mais Emiliano n'ôta pas sa main et continua de la fixer de son regard hypnotique. Un silence vibrant s'installa.

— Tu sais que tu es très belle ? déclara-t-il, un sourire sensuel aux lèvres.

Elle releva la tête. Un léger frisson la parcourut quand elle rencontra son regard fascinant.

— Toi aussi, tu es beau, répondit-elle dans un souffle.

Le rire grave de l'Italien couvrit le brouhaha qui venait du bar et la musique du petit orchestre qui jouait un peu plus loin sur le quai.

Lauren tourna vivement la tête et s'absorba dans la contemplation du port, où dansaient des voiliers, des catamarans, des bateaux de pêche. Plus loin, vers le môle, des yachts luxueux ondulaient mollement sur les eaux calmes du lagon. A l'autre extrémité, nichées dans les collines, se dressaient de belles demeures, comme des joyaux émaillant la côte. En arrivant par la petite route côtière, elle avait aperçu leurs parcs foisonnant de bougainvilliers rouges, violets et pourpres, de lauriers-roses et de frangipaniers parfumés.

Il faisait nuit à présent et l'air bourdonnait du chant des grillons. Au large, les embarcations étaient illuminées. Sur le quai, des lanternes disséminées dans les amandiers jetaient un éclairage doux sur les couples attablés, et sur les traits séduisants de l'homme assis en face d'elle.

Lauren laissa échapper un soupir rêveur.

— Si je possédais une maison ici, je ne voudrais jamais partir, déclara-t-elle, un trémolo dans la voix.

Elle retira sa main mais ressentait toujours la brûlure de ses doigts sur sa peau. C'était aussi tangible que la caresse de la brise tropicale sur ses épaules nues.

Emiliano se renfonça contre son dossier.

— C'est pour cette raison que j'essaie de partager mon temps entre l'Italie et les Caraïbes. Mais à partir de maintenant, je vais probablement passer beaucoup plus de temps ici.

Il lui avait confié qu'il était sur le point de racheter une compagnie maritime américaine en difficulté. S'établir dans les Caraïbes lui permettrait de se rendre très vite aux Etats-Unis — beaucoup plus facilement qu'en restant à Rome —, pour être au centre des activités commerciales et assister à toutes les réunions importantes.

— Visiblement, tu apprécies le paysage, reprit-il avec

un sourire. Dois-je comprendre que tu ne regrettes pas d'être venue ?

Comment pourrait-elle regretter quoi que ce soit ? Mais le dire à Emiliano reviendrait à baisser la garde, ce qui serait dangereux. Parce qu'il y avait entre eux trop de problèmes non résolus.

Elle cilla et changea délibérément de sujet :

— Envisageais-tu de faire autre chose dans la vie, ou bien était-il inéluctable pour toi de diriger l'entreprise familiale ?

Emiliano n'était pas dupe de cette digression. Mais la nervosité de sa compagne était si palpable qu'il choisit de ne pas insister.

— J'ai toujours su qu'un jour je dirigerais la compagnie, répondit-il d'un ton égal. J'étais l'héritier de mon père.

Lauren nota qu'il pinçait les lèvres, comme s'il suivait des pensées plus personnelles. Quelque chose qu'il ne souhaitait pas partager avec elle…

Au bout d'un instant pourtant, il ajouta d'une voix tendue :

— Je suis un peu comme l'héritier de la famille royale d'Angleterre. J'ai été scolarisé et éduqué dans le seul but de prendre la suite.

— Et pas Angelo ? s'enquit-elle, surprise.

Il laissa échapper un profond soupir.

— Non. Angelo a été autorisé à suivre la voie qu'il voulait.

Et il avait choisi celle de l'autodestruction… Lorsque Emiliano leva brièvement les yeux au ciel, elle sut qu'il partageait sa consternation.

— Tu as eu du mal à accepter cela, j'imagine ?

Une lueur inquiétante brilla dans ses yeux sombres et Lauren s'en voulut d'avoir posé cette question. Néanmoins, il la surprit en répondant :

— Oui, j'ai eu du mal à l'accepter.

— Tu as eu une enfance heureuse, non ? insista-t-elle.

Cette fois, elle n'obtint pas de réponse. Puis un

souvenir lui revint à l'esprit : la veille du mariage de son frère, Emiliano n'avait pas voulu lui donner d'explication quant au fait qu'il n'était pas le témoin d'Angelo. Il s'était contenté de dire qu'ils avaient pris des chemins différents. Mais Lauren avait remarqué une certaine tension entre les deux hommes, surtout quand Angelo avait parlé de son aîné d'un ton cynique et moqueur, comme s'il avait été jaloux de lui. Elle avait aussi perçu une politesse distante entre Emiliano et Claudette Cannavaro, une Française très sophistiquée, ancien mannequin, qu'on lui avait présentée comme la belle-mère des deux frères. Cette femme à la beauté froide s'était montrée bien peu cordiale.

— Qu'en est-il pour toi, Lauren ? As-tu vécu une enfance heureuse ?

Elle ébaucha un sourire teinté de nostalgie.

— Oh oui ! Très.

— Dans cette vieille maison du Lake District où tu vis actuellement ?

Lauren acquiesça. Elle lui avait déjà dit qu'elle avait quitté Londres, où elle était restée moins d'un an, pour retourner vivre à la ferme quand elle avait recueilli Danny. C'était à partir de ce moment qu'elle avait loué les box d'écurie et qu'elle avait engagé Fiona pour soigner les chevaux.

— Avais-tu des rêves ou des désirs avant d'endosser par la force des choses le rôle de tutrice ? En dehors de ton travail actuel à la jardinerie ou de ton expérience passée dans une agence immobilière ?

Elle fut surprise qu'il se souvienne qu'elle lui avait parlé de son job de secrétaire dans l'immobilier le soir où ils s'étaient rencontrés. Mais elle ne lui avait pas dit ce qu'elle faisait vraiment à Londres.

— Oui, j'en avais, répondit-elle d'une voix chargée de mélancolie. Je voulais devenir vétérinaire.

La nouvelle le surprit, exactement comme elle l'avait imaginé.

— Pourquoi n'as-tu pas réalisé ce projet ?

— Mes parents sont morts au cours de mon premier semestre universitaire. Alors, j'ai tout abandonné.

— *Mamma mia!* Je l'ignorais.

— Que mes parents étaient décédés ?

— Non, évidemment. Mais qu'ils étaient décédés si récemment. Je pensais que cette tragédie était arrivée quand tu étais enfant.

— Angelo ne t'en a pas parlé ? Pourtant, Vikki a dû le lui dire.

Mais peut-être pas, pensa Lauren, le cœur serré. Car sa sœur avait eu plutôt honte de sa famille et de ses origines modestes.

— Si elle l'a fait, il ne m'en a pas touché mot, lui assura Emiliano. Mon frère et moi communiquions peu. Et même quand nous nous parlions, nous étions rarement sur la même longueur d'onde.

Ces paroles venaient confirmer ce qu'elle suspectait depuis longtemps de la relation entre les deux frères. Donc, elle avait vu juste. Quant à savoir si Emiliano avait été un enfant heureux…

— Que faisaient tes parents ? l'interrogea-t-il avant qu'elle ait pu lui poser d'autres questions personnelles.

— Maman rédigeait des horoscopes pour un magazine d'astrologie. Elle croyait dur comme fer à ses prédictions. Elle était douce, rêveuse et pas du tout conventionnelle dans ses idées ou sa façon de s'habiller.

Un sourire affectueux incurva les lèvres de Lauren à cette évocation.

— Et ton père ?

— Il était professeur. Ma mère avait été une de ses étudiantes à l'université. C'est comme ça qu'ils s'étaient connus. Il enseignait les sciences naturelles et il défendait les théories les plus loufoques qu'on ait jamais entendues !

— Ils devaient former un couple unique, dit Emiliano, rieur.

— Tu peux le dire !

— Que leur est-il arrivé ? demanda-t-il avec délicatesse.

— Maman était persuadée qu'un de ses ancêtres sud-américains avait des pouvoirs magiques. Papa ne partageait pas la plupart des idées qu'elle développait dans les magazines, mais il l'adorait et la soutenait dans tout ce qu'elle entreprenait. Ils se sont donc rendus en Amérique du Sud sur la trace du mystérieux ancêtre. Là-bas, ils n'ont pas trouvé un seul descendant, mais ils ont attrapé une fièvre tropicale qui les a emportés tous les deux.

— Je suis désolé…

Lauren esquissa un geste furtif pour balayer sa propre émotion.

— C'est du passé.

— Et tu avais… quel âge à l'époque ?

Lauren lui donna l'information demandée, la gorge serrée.

— Donc tu as mis fin à tes études pour t'occuper de ta sœur, qui était toujours à l'école, je suppose ?

— Il fallait bien que je gagne de l'argent pour nous deux.

— Tu ne m'as jamais parlé de tout cela avant, lui reprocha-t-il doucement.

Elle n'avait pas voulu raconter une histoire aussi pathétique à un homme qu'elle venait de rencontrer, de peur de tout gâcher. Elle avait refusé de parler du passé, et sans doute Emiliano avait-il eu trop de tact pour la presser de questions.

— Tu n'as jamais envisagé de reprendre tes études ? s'enquit-il.

Lauren haussa les épaules.

— J'avoue que, pendant un moment, ça m'a trotté dans la tête. Mais financièrement, ce n'était pas possible. Et quand Vikki…

Sa voix mourut sur ses lèvres tant il lui était douloureux de parler de l'accident. Emiliano hocha gravement la tête. Pour couper court à son émotion, Lauren enchaîna :

— Et maintenant, il y a des choses autrement plus importantes dans ma vie.

Comme de s'occuper de son neveu, acheva Emiliano *in petto*. Il était profondément ébranlé par ce qu'il venait d'apprendre, par tous les sacrifices et les compromis que Lauren avait dû faire. Quelles autres surprises lui réservait-elle ? Car il se rendait compte qu'il la connaissait peu au fond, en dépit de l'intimité qu'ils avaient partagée.

Tout ce qu'il lui avait importé deux ans plus tôt, c'était de l'entraîner dans son lit et de la garder là aussi longtemps qu'il aurait envie de s'amuser avec elle. Ce constat sans appel déclencha une intense culpabilité. Ce soir-là, en surprenant la conversation entre Lauren et sa sœur, il avait pensé avoir affaire à une aventurière sans scrupules. Etait-ce la vérité ? Aujourd'hui, il n'était plus sûr de rien. Quand il s'était présenté chez elle et qu'il l'avait accusée de monopoliser l'enfant de son frère, il était convaincu qu'elle avait une idée derrière la tête. Puis il avait peu à peu découvert une tout autre Lauren : une jeune femme qui sauvait des chiens, consolait un enfant en larmes et assumait depuis trop longtemps de lourdes responsabilités. A présent, il avait envie de mieux la connaître, et pas seulement sur un plan purement physique. Et il était lui-même étonné de cet élan.

Il fit signe au serveur et régla l'addition. Cela fait, il adressa à Lauren un sourire engageant.

— Viens. Allons marcher un peu.

Ils marchèrent côte à côte, sans se toucher, le long du quai, puis sur le môle. Les lumières qui scintillaient de chaque côté des pontons de bois jetaient des reflets étranges sur l'eau sombre. La nuit silencieuse et tiède était empreinte de sensualité. Lauren avait une conscience aiguë de la proximité d'Emiliano. Les jeux d'ombres et le clair de lune soulignaient son beau profil ciselé, et elle avait bien du mal à dompter l'effet dévastateur qu'il exerçait sur elle. Pour tâcher d'apaiser son trouble, elle prit la parole :

— Pourquoi ne t'entendais-tu pas avec ton frère ?

Emiliano garda d'abord le silence.

— Nous avions des personnalités et des caractères différents, dit-il enfin, laconique.

Lauren ne put s'empêcher d'admirer sa dignité. Par respect pour la mémoire de son frère, il ne disait pas qu'Angelo avait été un jouisseur considérant la vie comme une suite de plaisirs.

— Mais il s'entendait avec ta belle-mère apparemment ?

C'était l'impression qu'elle avait eue lors du mariage et, plus tard, Vikki l'avait confirmée.

— Angelo n'avait que huit mois lorsqu'elle a épousé notre père. Comme elle savait déjà qu'elle ne pouvait pas avoir d'enfants, elle s'est attachée à lui comme s'il était son propre bébé.

Lauren se rappelait avoir entendu dire que Marco Cannavaro avait perdu sa première épouse d'un cancer quelques mois seulement après la naissance de leur second fils. En revanche, elle avait ignoré que le père des garçons s'était remarié aussi vite.

— Et avec toi ? Comment s'est-elle comportée ? demanda-t-elle, désireuse d'en apprendre davantage sur son passé.

— J'avais cinq ans. J'étais têtu et trop turbulent pour elle…

— C'est drôle, je n'ai aucun mal à le croire ! le taquina-t-elle.

Plus sérieusement, elle ajouta :

— Ça a dû être très pénible pour toi de voir une autre femme prendre la place de ta mère. Est-ce que… tu te souviens d'elle ?

— Ça peut paraître bizarre mais j'ai gardé d'elle des images très vivaces. Je revois ses beaux cheveux, son sourire, et je me souviens aussi de son parfum. Pour le reste, c'est trop vague. Et… En fait, mon père avait une liaison et il a épousé sa maîtresse.

Lauren s'empourpra, car cette possibilité l'avait en effet effleurée.

— Alors, comment ta belle-mère s'est-elle accommodée du garçon turbulent que tu étais ? fit-elle d'un ton enjoué, pour faire oublier ce moment embarrassant.

— J'ai eu droit aux pensionnats et aux vacances chez une cousine de mon père. Une vieille fille acariâtre et très stricte.

— Tu veux dire qu'on t'a éloigné de chez toi ? A cinq ans ? s'exclama Lauren, interloquée. Ton père n'a rien dit ?

— Il faisait tout pour que Claudette soit heureuse. Il pensait aussi que ça me rendrait autonome et débrouillard. Sur ce point, il avait raison. En revanche, ça n'a pas resserré les liens familiaux. Et Angelo…

Il ébaucha un geste d'impuissance.

— A la fin, je ne pouvais rien faire d'autre que me tenir en retrait et regarder mon frère se détruire, dit-il d'une voix tremblante. Est-ce que tu sais ce que cela fait ?

Elle comprenait maintenant sa réponse énigmatique quand, le soir de la réception, elle lui avait demandé s'il était un ami de la famille : « Je ne me considère pas vraiment comme tel. » Comment aurait-il pu en être autrement quand aucun des siens ne s'était soucié de lui ?

Ils n'avaient jamais parlé ainsi, et les révélations qu'Emiliano venait de lui faire la poussèrent à s'ouvrir à son tour, à se libérer de son propre fardeau — des secrets trop lourds dont elle n'avait jamais parlé à personne.

— Oui, répondit-elle, le cœur serré. Oui, je sais ce que ça fait. On se sent inutile et coupable, comme si on avait échoué lamentablement. Quand nos parents sont morts, on aurait dit que Vikki leur en voulait. Elle a réagi de façon disproportionnée, en faisant délibérément l'inverse de tout ce qu'ils lui avaient inculqué. Elle s'est mise à traîner des nuits entières avec toutes sortes de gens peu fréquentables, à se droguer… Je n'arrivais plus à la contrôler, encore moins à la raisonner, si bien que j'ai fini par la laisser partir. J'aurais dû faire quelque chose, trouver un moyen de la retenir. Si j'avais été moins centrée sur moi-même, à essayer de faire face et de joindre les deux bouts, si je m'étais intéressée davantage à elle, elle n'aurait peut-être pas pris la mauvaise pente et…

— Arrête, l'interrompit Emiliano en s'immobilisant pour lui faire face. Toi-même, tu étais trop jeune pour endosser des responsabilités parentales. Tu as quitté l'université, puis tu as renoncé à reprendre tes études quand tu as eu à t'occuper de Daniele. Par deux fois, tu as abandonné ta carrière à cause de ta sœur. Ne laisse pas la culpabilité te gâcher la vie ! Tu as accompli des choses formidables, Lauren, en particulier vis-à-vis de notre neveu. Tu as tant donné…

Du bout des doigts, il effleura son bras nu et la sentit frissonner.

— C'est pourquoi tu as le droit de lâcher prise et de passer le relais, poursuivit-il.

— Non, tu ne comprends pas ! J'ai perdu tous ceux que j'aimais. Je ne veux pas perdre en plus Danny. Jamais je ne l'abandonnerai, ni à toi ni à personne d'autre.

Haletante, éperdue, Lauren voulut s'écarter, mais Emiliano lui avait pris la main. Elle se détourna, mortifiée de se sentir au bord des larmes.

— Si, je commence à comprendre, dit-il d'une voix grave.

Doucement, il posa une main sur sa joue et ramena son visage vers lui. Il était toujours son ennemi, il avait le pouvoir de détruire la vie qu'elle s'était faite, pourtant la moindre de ses caresses lui faisait bouillir le sang. N'ayant plus la force de résister, elle pressa son visage inondé de larmes contre la paume tiède d'Emiliano. Comme s'il n'attendait que ce signe, il lui enlaça la taille et l'attira contre lui.

Un maelström d'émotions emporta Lauren. Les bruits qui ponctuaient la nuit tropicale s'estompèrent. Et quand la bouche d'Emiliano s'abaissa vers la sienne, elle se coula contre lui de toute la force de son désir.

Il parcourut ses courbes des mains, avec une possessivité telle que ses jambes flageolèrent. Elle le voulait comme une folle, comme jamais elle n'avait voulu un homme.

Cependant, dans un coin de son esprit, une voix raisonnable lui soufflait de résister. Que faire ? De toute façon, elle ne savait pas comment revenir en arrière.

— Passons la nuit ensemble, Lauren, murmura Emiliano contre ses cheveux.

Alors, elle sut qu'elle avait définitivement perdu la partie…

6.

Emiliano avait gardé un bras autour de sa taille ; ainsi enlacés, ils rejoignirent le quai.

— Où allons-nous ? La voiture est dans cette direction, dit Lauren en montrant le bar.

— Oui, la villa aussi. A environ une heure de route. Mais je ne crois pas que nous puissions attendre jusque-là…

Lauren le regarda avec un mélange de perplexité et d'excitation. Ses traits séduisants éclairés par les réverbères exprimaient une fébrilité égale à la sienne.

Il l'entraîna sur un ponton et l'aida à descendre dans un élégant petit hors-bord aux lignes racées.

— Où m'emmènes-tu ? répéta-t-elle d'une voix que l'inquiétude faisait légèrement vibrer.

— Mais au lit naturellement, répondit Emiliano avec un sourire à la fois charmeur et amusé.

Elle constata qu'il avait mis le cap vers le majestueux yacht qu'elle avait vu entrer dans le port un peu plus tôt, pendant qu'ils dînaient.

— C'est le *tien* ? s'exclama Lauren, bouche bée, quand il amena le canot contre la coque.

Le navire blanc était de dimensions impressionnantes. Il fallait certainement un équipage expérimenté pour le manœuvrer. Au lieu de lui répondre, Emiliano s'adressa en italien à deux matelots qui venaient d'apparaître sur le pont, puis il l'aida à monter à bord. Les deux hommes la saluèrent d'un bref signe de tête avant de s'activer autour de l'annexe.

— Puis-je t'offrir quelque chose ? proposa Emiliano en la guidant par des portes vitrées vers l'intérieur du bateau.

« Oui, une minute pour me remettre du choc ! » faillit-elle répliquer en pénétrant dans le salon aux vitrages panoramiques, doté de banquettes en cuir fin, de lambris et de tapis moelleux.

Elle secoua la tête en guise de réponse.

— Dans ce cas…, murmura-t-il.

Il lui indiqua un escalier et le pouls de Lauren s'accéléra dangereusement.

— J'ai l'impression d'être la captive d'un pirate ! murmura-t-elle avec un rire nerveux tout en montant les marches.

— Un pirate ? Hum… Je ne sais pas comment je dois le prendre.

Avec un sourire ravageur, il lui ouvrit la porte de ce qui était à l'évidence la cabine principale.

Lauren retint son souffle. Mon Dieu, quel luxe ! Les parois de bois ciré reflétaient la lumière tamisée que diffusaient des appliques en cuivre ; les rideaux noir et crème étaient assortis aux tapis et aux coussins qui ornaient l'immense lit recouvert de satin crème.

— Wouaw ! s'exclama-t-elle, éberluée. Quand tu veux entraîner une femme dans ton lit, tu emploies les grands moyens.

Il se mit à rire et lui fit signe de le précéder.

— Si nous allions au lit, justement ?

Ce murmure sensuel dans sa nuque lui provoqua une salve de frissons brûlants. Puis elle entendit la porte se refermer derrière eux, les coupant du monde extérieur. Elle déglutit avec peine. Elle était bel et bien la captive d'Emiliano Cannavaro, à présent…

— A quoi penses-tu, *cara* ? Tu te demandes combien de prisonnières j'ai retenues ici ?

Le feu aux joues, Lauren dut s'avouer qu'elle s'était posé la question.

— Aucune, affirma-t-il. Le yacht appartient à l'entreprise. Je le fais convoyer à la Barbade, où il servira de lieu de conférences. Donc, si tu cherches… comment dit-on en anglais ? Ah, oui : des *encoches* sur le montant du lit, j'ai peur que tu ne sois déçue.

Par-dessus son épaule, Lauren lui renvoya une petite moue crispée. Elle était soulagée de l'apprendre, bien plus qu'elle ne l'aurait voulu. Combien de créatures sophistiquées Emiliano avait-il tenues dans ses bras depuis deux ans ? Elle, depuis leur aventure au mariage de Vikki, elle n'avait même pas eu un flirt…

— Emiliano ?

Il nota que ses beaux iris verts étaient emplis de désir et de crainte.

— Ne dis rien, murmura-t-il avant de l'embrasser.

Lauren s'abandonna au baiser de son amant. Son corps puissant était comme un rocher immense et tiède ; elle s'agrippa à lui, savourant le modelé de son impressionnante musculature. Il l'étreignit avec fièvre, tandis que leurs souffles saccadés se mêlaient. Leurs lèvres se joignaient, se dérobaient, se cherchaient encore avec une ardeur folle. Le désir de Lauren était si intense qu'elle laissa échapper un cri.

— Doucement, tempéra Emiliano. Nous avons toute la nuit devant nous et je veux en savourer chaque seconde avec toi, *cara mia*.

Jusqu'à quand ? Jusqu'à ce qu'*il* décide de rompre ? Elle refusa de songer à cette échéance.

— Emiliano ? redit-elle.

Il perçut sa tension.

— Qu'y a-t-il ?

— Je ne suis pas… protégée, dit-elle d'une petite voix.

Elle se sentait ridicule de lui faire cet aveu, mais en aucun cas elle n'aurait admis que c'était *lui* qu'elle redoutait, parce qu'elle avait peur d'être blessée quand il se serait lassé d'elle.

— Inutile de t'inquiéter. A moins, bien sûr, qu'il y ait autre chose et que tu ne veuilles pas aller plus loin ? Dans ce cas, je respecterai ton choix et je demanderai à l'équipage de nous ramener à la villa.

Même si elle lui était secrètement reconnaissante pour sa prévenance, elle se dit que si elle reculait, il la prendrait pour une inconstante, peu sûre d'elle ou faisant un caprice. Jamais de la vie !

— Non ! laissa-t-elle échapper.

Consciente que cette réponse ressemblait à un cri désespéré, elle essaya d'adopter l'attitude d'une femme sophistiquée et suprêmement détachée.

— Déshabille-toi ! lui ordonna-t-elle, se surprenant elle-même.

Emiliano se mit à rire et prit la main qu'elle avait plaquée sur son torse.

— Et si tu le faisais pour moi ? l'invita-t-il d'un ton provocateur.

Mon Dieu ! Qu'est-ce qui lui avait pris ? Elle n'avait jamais dévêtu un homme de sa vie ! Même pas lors de leur brève aventure au mariage de Vikki.

Elle s'humecta les lèvres, nerveuse. Puis, dominant le tremblement de ses doigts, elle commença à défaire les boutons de la chemise d'Emiliano, se délectant de sa respiration de plus en plus rauque à mesure qu'elle révélait son torse doré.

— Tu as déjà fait ça avant.

Ce n'était pas une question mais une affirmation.

— Oh… Des quantités de fois, mentit-elle avec un petit rire de nervosité.

Au sourire qu'il lui renvoya, elle sut qu'il n'en croyait rien. Mais en cet instant, Lauren se moquait bien de savoir ce qu'il pensait d'elle. Glissant les mains sous sa chemise, elle fit glisser le vêtement de ses épaules. Sa peau était comme un bronze chaud et lisse sous ses doigts et un frisson voluptueux la parcourut tout entière tandis qu'elle s'émerveillait de le toucher.

Quand elle apposa les lèvres sur son torse, le gémissement sourd qui s'échappa de la gorge d'Emiliano se répandit en elle comme une onde. Elle inhala le parfum frais de son eau de toilette et celui, plus intime et plus troublant, qui le définissait. S'enhardissant, elle sillonna du bout de la langue la zone entre ses pectoraux avant de s'aventurer vers un téton plat et sombre, puis l'autre.

— Je pense… qu'il est temps de t'avertir, Lauren, haleta-t-il. Il existe des lois sur ce bateau… Les ordres du capitaine… Je te revaudrai ça, *cara mia.*

Elle fit entendre un petit rire empreint de sensualité. Elle y comptait bien ! Levant vers lui des yeux charmeurs, elle se mit à titiller de la langue son téton durci. Emiliano exhala un râle de pur plaisir.

— Oh ! Je ne savais pas que tu aimais ça, susurra-t-elle.

— Comment pourrais-je ne pas aimer ce que tu… ?

Emiliano s'interrompit, comprenant à la dernière seconde que l'aveu qu'il s'apprêtait à lui faire était trop dangereux. Il se raidit et empoigna doucement la masse de ses cheveux roux.

Grisée, Lauren redoubla d'ardeur. Elle se mit à couvrir d'une multitude de petits baisers le torse de son compagnon, sa taille, son ventre plat. Sous ses lèvres mutines, le corps d'Emiliano frémissait, ce qui décuplait sa propre excitation.

— Je t'aurais prévenue, lui promit-il, tandis qu'elle abaissait la fermeture Eclair de son pantalon.

Mais il ne fit rien pour l'en empêcher. Une seconde plus tard, il se tenait devant elle dans toute la splendeur de sa nudité.

— Tu es sublime…, murmura-t-elle.

Il ressemblait à un animal sauvage, immense, sûr de lui et… incroyablement excité ! Agenouillée, Lauren effleura ses cuisses puissantes qui avaient la dureté du granit. Puis ses lèvres prirent le relais.

Il frémit violemment, comme s'il n'allait pas tarder à perdre son contrôle. De fait, dans un geste abrupt, il se recula, les yeux clos. Il eut tôt fait de se ressaisir pourtant. Rouvrant les paupières, il la força à se relever, avant de la soulever dans ses bras.

— Maintenant, à mon tour, déclara-t-il d'un ton ardent. Ne t'inquiète pas, la cabine est parfaitement insonorisée, ajouta-t-il, conscient des regards anxieux qu'elle jetait vers la porte. Un pirate a besoin d'intimité pour savourer son butin. Et j'ai l'intention de savourer le mien, *carissima.*

Lauren suffoqua, prise d'un délicieux vertige en sentant les bras d'Emiliano autour d'elle. Une vague de sensations sauvages déferla dans tout son être et, ensemble, ils basculèrent sur le lit.

Emiliano était étendu sur elle, les cheveux rabattus sur son front ténébreux. Il y avait chez lui quelque chose de l'homme sophistiqué et de l'animal indomptable. Et ce mélange était détonant, constata Lauren, fascinée. Fermant les yeux, elle se délecta de le sentir contre elle.

— Emiliano…, susurra-t-elle.

Mais il ne semblait pas pressé de la dénuder. Ses mains parcouraient le tissu vaporeux de sa robe, prolongeant à l'infini ces préliminaires incroyablement excitants.

Lauren se souleva pour venir à la rencontre de sa paume tiède, qui s'attardait à présent sur le galbe de ses seins, sculptait voluptueusement sa taille et la courbe de sa hanche. Quand elle s'aventura plus bas, à la jonction de ses cuisses, elle crut défaillir et s'arqua convulsivement. Mon Dieu… Elle le réclamait comme une droguée sa dose !

Ignorant les appels éloquents de sa maîtresse, Emiliano fit glisser lentement les doigts le long de sa jambe douce et fuselée, puis sur l'autre, avant de retirer sa main et de recommencer la même torture délicieuse.

— Je t'en prie…, le supplia-t-elle en agrippant son dos.

Cette supplication emplit Emiliano de fierté, tout en flattant sa virilité.

— Qu'y a-t-il, *carissima* ? Que veux-tu exactement ?

— Tu le sais très bien ! protesta-t-elle, frustrée, en lui jetant un regard noyé de désir.

— Oh ! ceci peut-être..., la taquina-t-il.

Avec une lenteur insupportable, il fit alors glisser les fines bretelles de sa robe. Il abaissa ensuite le vêtement, révélant ses seins sublimes, puis ses hanches voluptueuses. Lauren se trémoussa pour mieux se débarrasser de sa robe. Puis elle ôta sa petite culotte.

Emiliano contempla son corps doré, ses seins qui se balançaient comme des fruits mûrs.

— *Bella mia*..., murmura-t-il, le souffle court.

Il avait séduit des femmes magnifiques, mais aucune d'aussi tentante, ni aussi réceptive à ses caresses. Ni aussi émotive, d'ailleurs. Comment avait-il pu autant se tromper sur elle, l'estimer aussi mal ? Dans le monde des affaires où il évoluait, il ne pouvait se permettre la moindre faute de jugement. Pourtant, il avait commis une grossière erreur en ce qui concernait Lauren Westwood.

Elle gémissait doucement sous ses caresses, lascive et abandonnée, s'offrant à lui tout entière ; Emiliano oublia vite ses pensées dérangeantes. Il approcha la bouche de sa poitrine, happant tour à tour ses globes nacrés qu'elle tendait vers lui. En écoutant ses plaintes rauques, il avait l'impression d'être un roi et non un pilleur.

Sa peau avait la douceur de la soie. Tout son corps était une invite tandis qu'elle se vrillait sous lui, les jambes ouvertes, tel un papillon prêt à prendre son envol. Mais il lui avait promis tous les plaisirs et il n'était pas homme à manquer à sa parole. Quand, des lèvres, il caressa la plage douce de son ventre et que sa bouche dériva vers son pubis, puis plus bas, il la sentit frissonner dans l'attente du plaisir.

Lorsqu'ils avaient fait l'amour la première fois, les réponses de Lauren avaient été si ardentes que pour un peu, il se serait cru le seul homme de l'univers. C'était comme si elle n'avait appartenu qu'à lui, se remémora-t-il. Aujourd'hui encore, il ne pouvait supporter l'idée qu'un autre homme puisse la toucher.

Un élan de possessivité le saisit et il voulut la prendre là, sans plus tarder, sentir sa chair brûlante emprisonner sa virilité. C'était une impulsion si urgente et si douloureuse qu'il faillit perdre tout contrôle. Heureusement, un éclair de lucidité le fit s'écarter d'elle, à contrecœur, pour prendre l'étui de préservatifs dans la poche de son pantalon. Leur passion irrésistible ne devait pas devenir irresponsable.

Sa belle Anglaise patientait, immobile, le souffle haché. De nouveau, il s'étendit sur elle et, lui écartant délicatement les cuisses, il la pénétra profondément. Un cri de plaisir s'échappa des lèvres de Lauren, faisant écho au sien. Enivré, Emiliano imprima son rythme en lui soulevant les hanches pour mieux accommoder ses élans de plus en plus puissants.

Elle atteignit l'orgasme presque immédiatement et, une seconde plus tard, dans un élan ultime, il se libéra avant de sombrer sur elle, le corps tremblant.

Longtemps, Lauren s'agrippa à lui, prolongeant la fusion de leurs chairs, le corps agité de spasmes.

A l'aube, le yacht appareilla pour rejoindre la petite crique devant la villa. Comme Emiliano le lui avait promis, ils seraient de retour avant que Danny ne se réveille.

C'était un bateau flambant neuf, qu'il avait acquis en Floride lors de sa dernière visite, lui expliqua-t-il. Il avait demandé à son équipage de le dévier de sa route afin qu'ils puissent en profiter.

— Donc, tu avais tout prévu, le taquina Lauren quand ils montèrent sur le pont pour admirer le soleil levant. Cela faisait déjà partie de ton plan quand tu as décrété de façon autoritaire que nous sortirions !

— Pas du tout. Je n'ai rien organisé, lui assura-t-il. Mon équipage devait convoyer le yacht jusqu'à la Barbade. Quand mon skipper m'a appelé hier soir, juste avant le dîner, en me disant qu'ils étaient en vue du port, j'ai pensé que ce serait une jolie surprise pour toi s'ils changeaient de cap et nous embarquaient depuis le lagon. Une croisière sous les étoiles au lieu de rentrer par la route.

Comme ça, d'un simple claquement de doigts ? C'était incroyable comme les choses se mettaient en place facilement quand on était riche et puissant. Et bien sûr, la voiture abandonnée la veille près du restaurant serait aussi ramenée à la villa, comme par magie…

— Le fait que tu aies passé la nuit dans mon lit, c'est un atout sur lequel je n'avais absolument pas compté, ajouta Emiliano pour la convaincre. Et si tu m'en veux de t'avoir forcée à sortir, je te signale que c'est moi qui étais en danger la nuit dernière, *cara mia*. Pour la première fois de ma vie, je me retrouvais seul avec une femme qui m'ordonnait de me déshabiller !

— Oh ! Si j'avais su que tu étais si inexpérimenté, j'aurais été beaucoup plus audacieuse, dit-elle en riant.

Emiliano joignit son rire au sien.

— Que fais-tu, *bella mia* ? Tu essaies de me tenter ? J'ai un bateau de vingt mètres de long à manœuvrer dans cette crique, lui rappela-t-il. Mais il est vrai que nous avons encore un peu de temps avant d'accoster…

Lauren nota que son sourire charmeur se reflétait dans les yeux d'Emiliano, qui prenaient une teinte ambrée dans la lumière de l'aurore. Ils brûlaient aussi d'excitation, et un frisson exquis la traversa.

Lâchant la barre, Emiliano lui prit la main.

— Ce qui veut dire, *cara mia*, que tu as juste le temps de me montrer à quel point tu es… audacieuse !

De retour dans la luxueuse cabine, Lauren s'employa à

combler son amant. C'était la première fois qu'il lui demandait de diriger leurs ébats en promettant de ne pas intervenir de quelque façon. Avec un sentiment de triomphe, elle se délecta de sa reddition totale. Emiliano gardait les yeux clos et ses traits se contractaient sous l'assaut du plaisir qui le submergeait, tandis qu'elle intensifiait ses efforts pour le mener jusqu'au bout de l'extase.

Une fois repue d'un plaisir intense et partagé, Lauren, étendue sur Emiliano, ses cheveux déployés sur son torse, s'étira langoureusement à la manière d'un chat.

— Etait-ce suffisamment audacieux pour toi ? murmura-t-elle, câline.

Sans prendre la peine d'ouvrir les yeux, il répondit d'une voix nonchalante :

— C'est un peu tôt pour le dire. Peut-être devrons-nous réitérer l'expérience…

Lauren sourit rêveusement en promenant les doigts sur le corps splendide de son bel Italien. Emiliano était un amant époustouflant. Il lui avait fait l'amour avec passion, mais avec beaucoup de prévenance aussi, s'appliquant à la rendre folle de plaisir.

Comment, après avoir rencontré tant d'indifférence au cours de son enfance, était-il devenu cet homme équilibré, généreux et attentionné ? Elle avait perdu tous les siens, certes, mais au moins, elle avait eu le temps d'être aimée, choyée. Tandis qu'Emiliano…

Un nœud d'émotions lui bloqua la gorge en repensant à son histoire. Rien d'étonnant à ce qu'il veuille obtenir la garde de Danny. Le petit garçon était le seul vrai parent qui lui restait et auquel il pouvait s'attacher. Le seul survivant d'une famille dont tous les autres membres l'avaient laissé tomber. Son cœur se serra si fort qu'elle en eut mal. « Je l'aime », pensa-t-elle à l'instant précis où il ouvrait les yeux.

— Qu'y a-t-il, *cara* ? demanda-t-il avec inquiétude en caressant son bras. Quelque chose te tracasse ? Tu ne regrettes pas au moins ?

Parlait-il de la nuit d'amour qu'ils avaient partagée ou de ce nouveau cap que leur relation venait de franchir ? D'ailleurs, où en étaient-ils exactement ? se demanda-t-elle avec anxiété. Du point de vue d'Emiliano, elle n'était probablement qu'une partenaire consentante de plus. Alors qu'elle…

… elle était tombée éperdument amoureuse ! C'était imprudent, déraisonnable, mais une évidence imparable. Deux ans plus tôt déjà, après quelques heures passées dans le lit d'Emiliano, elle s'était crue amoureuse de lui. La différence, c'était qu'elle le connaissait tellement mieux aujourd'hui. Il lui avait avoué sa souffrance et toutes les vicissitudes qui avaient fait de lui l'homme qu'il était devenu. Elle savait aussi que cette fois, ils ne pouvaient revenir en arrière. Et pour une foule de raisons.

— Non, bien sûr que non, répondit-elle. Je ne regrette rien.

Car quoi qu'il advienne, Lauren était à présent certaine qu'elle ne pourrait jamais cesser d'aimer cet homme et que quoi qu'il advienne entre eux, elle garderait au cœur jusqu'à son dernier souffle le souvenir de ce qu'ils avaient vécu sur ce yacht.

7.

Ils se prélassaient sur la plage à l'ombre d'un grand parasol, deux jours après leur escapade sur le yacht, lorsque Emiliano demanda soudain :

— Parle-moi de Stephen.

— Stephen ? répéta Lauren, perplexe.

Ils partageaient le même transat et elle avait posé sa tête sur son torse nu. Emiliano ne portait qu'un maillot de bain bleu marine et son corps viril sentait bon le soleil et l'air marin.

— Oh ! J'y suis ! s'exclama-t-elle.

Il lui avait déjà posé cette question le jour où ils avaient secouru Brutus, et elle se rappelait avoir pris un malin plaisir à ne pas lui donner de réponse.

— Pourquoi ? demanda-t-elle en lui jetant un regard malicieux. Tu es jaloux ?

— Si j'ai des raisons de l'être, cela voudrait dire que je n'ai pas été très performant ces derniers jours, commenta-t-il avec une pointe d'humour.

— Alors, tu devrais t'entraîner davantage, roucoula Lauren en se pressant contre lui.

Il raffermit son étreinte autour d'elle.

— Dis-moi ce qu'il représente pour toi.

Il avait l'air réellement inquiet, et Lauren décida qu'il était temps de mettre fin à ses taquineries.

— Stephen est indispensable dans ma vie quand Danny et moi sommes à court d'œufs ou de lait. Molly, sa femme depuis trente ans, l'est tout autant, comme leurs deux grands garçons ; car à eux quatre, ils font fonctionner la laiterie.

— Espèce de petite… !

Il laissa sa phrase en suspens, ce qui laissait présager de délicieuses représailles.

— Et toi ? demanda Lauren d'une voix langoureuse. Caches-tu quelqu'un dans ta vie ?

— Pas en ce moment, répondit-il en écartant ses boucles rousses pour effleurer son épaule du bout de la langue. Pas même une jeune femme qui m'approvisionnerait en œufs.

Elle laissa échapper un petit rire forcé. « Pas en ce moment »… Voulait-il dire par là qu'il aurait bientôt quelqu'un ? Une créature sublime et sophistiquée, à l'aise en société comme dans un boudoir, sans doute !

Un sentiment de crainte la saisit, mais elle était incapable de réfléchir quand Emiliano mordillait la petite zone sensible à la base de son cou. En même temps, il aventurait les doigts sous l'élastique de son Bikini. Il remonta son autre main vers un sein mais, au lieu de le cueillir dans sa paume, il s'arrêta juste sous le galbe.

Lauren était si frustrée qu'elle gémit doucement en allant au-devant de sa caresse. Une flamme de désir naquit à la jonction de ses cuisses ; elle pria silencieusement pour qu'il glisse enfin ses doigts habiles au plus près de son intimité. Hélas, ils ne pouvaient se permettre d'aller plus loin en présence de Danny…

Assis auprès d'eux sous un petit parasol, leur neveu s'amusait à démolir un château de sable qu'ils avaient construit pour lui. Tenant sa petite pelle en l'air, il leur offrit un grand sourire avant de retourner à son jeu.

— Tu sais que le fait d'être étendue au soleil te rend incroyablement sexy ?

Il suivit délicatement le contour de son oreille du bout de la langue.

— Le soleil est peut-être un aphrodisiaque, répondit

Lauren d'une voix vibrante. Ou alors, tu y es pour quelque chose…

— *No, carissima.* Ça n'a pas grand-chose à voir avec moi, dit-il en glissant sa main plus bas vers le cœur de sa féminité.

Ce geste était si érotique qu'un spasme brûlant la traversa.

— Je… Je rentre, hoqueta-t-elle en se redressant. Tu ramèneras Danny ou veux-tu que je l'emmène maintenant ?

Elle était déjà sur pied, tremblante.

— Je veillerai sur Daniele.

Emiliano, attendri, songea combien il aimait ce petit garçon. Comment pouvait-il en être autrement puisque c'était le sang de son frère qui coulait dans ses veines ? De plus, Daniele était le lien irrévocable qui le rattachait à la jeune Anglaise, qu'elle l'accepte ou non.

Lauren ramassa son sac de plage. Emiliano était-il aussi touché qu'elle par les caresses qu'il lui avait prodiguées ? Elle n'en était pas sûre. Trop troublée pour le regarder, elle s'éloigna sur le sable, impatiente de retrouver le calme de la villa et le refuge de sa chambre.

La douche fraîche qu'elle prit sitôt rentrée n'apaisa pas sa frustration. Tout son corps frémissait, avide, insatisfait.

« Tu ne perds rien pour attendre, Emiliano Cannavaro ! » décréta-t-elle, farouche. Des larmes de colère lui montèrent aux paupières. Bon sang, quelle idiote elle était de l'aimer ! Mais ce n'était pas seulement la découverte de ses sentiments ni le manque physique qu'il avait délibérément provoqué en elle qui la mettaient dans cet état. Elle ne cessait de penser à cette réponse ambiguë qu'il lui avait donnée quand elle lui avait demandé de façon détournée s'il avait une femme dans sa vie dont elle pût être jalouse : « Pas en ce moment »…

Que devait-elle en déduire ? Qu'il était actuellement entre deux maîtresses et qu'il entamerait une nouvelle relation dès qu'il aurait fini de s'amuser avec elle ?

Elle était si perdue dans ses sombres pensées qu'elle

n'entendit pas qu'on ouvrait la porte de la cabine et reçut un choc quand, se retournant, elle vit qu'Emiliano l'avait rejointe sous la douche.

— Ce que j'ai dit tout à l'heure n'était pas très gentil, avoua-t-il avec une grimace contrite. Mais il y a une chose que tu apprendras à mon sujet : si je commets des erreurs, je m'attache toujours à les réparer.

Voilà pourquoi il se trouvait là avec elle, se dit-elle avec un frisson de plaisir. Et nu ! Les paroles qu'il venait de prononcer chassèrent son abattement. « Une chose que tu *apprendras…* » L'emploi du futur impliquait il qu'elle ferait partie de sa vie pendant quelque temps encore ? Qu'il n'avait pas l'intention de la rejeter pour une autre dès que ces merveilleuses semaines prendraient fin ?

Un fol espoir naquit au fond d'elle. Mais Emiliano ne lui laissa pas le temps de s'interroger davantage : il la bâillonna d'un baiser ardent, auquel elle répondit en se jetant dans ses bras. Car une seule chose lui importait : être avec lui, ici et maintenant !

Sans cesser de l'embrasser, Emiliano prit le flacon de gel douche et entreprit de lui enduire lascivement les seins. Son baiser était dur, affamé, profond, et ses caresses sur sa chair glissante la rendaient folle. Grisée, Lauren parcourait des doigts son dos musclé. La puissance qu'elle sentait vibrer en lui accrut son excitation. S'il ne la prenait pas maintenant, elle allait mourir de frustration !

Heureusement, Emiliano semblait aussi avide qu'elle. Il la plaqua contre la paroi de marbre et, d'un puissant coup de reins, l'emplit de sa virilité.

Lauren cria, tremblante, sous l'assaut du plaisir. Agrippant les épaules de son amant, elle se mit à onduler contre lui pour accompagner ses élans. Faire l'amour sous le jet de la douche était une expérience inédite pour elle ! Bientôt, un rythme frénétique les emporta jusqu'à l'extase sublime, qui les laissa anéantis, comblés, à bout de souffle.

*
* *

Lauren avait délaissé sa jolie chambre à l'arrière de la villa pour la suite luxueuse occupée par Emiliano. Car il tenait à ce qu'elle partage son lit désormais.

Quand elle lui avait fait part de ses inquiétudes vis-à-vis de Constance et du reste du personnel, il avait répondu :

— C'est là qu'est ta place, *bella mia*. Accepte-le. D'ailleurs, je pense que c'est le contraire : mes employés trouveraient bizarre que nous ne couchions pas ensemble.

Lauren aurait aimé pouvoir adopter la même désinvolture, mais elle n'était pas aussi expérimentée ni aussi libérée que lui quand il s'agissait de sexe. Et c'était sans doute là que résidait le problème : laisser penser à Emiliano qu'elle était heureuse de n'être qu'une diversion, son objet sexuel alors que, de toute évidence, il n'éprouvait rien pour elle.

Il n'avait pas reparlé non plus de l'avenir de Daniele depuis la nuit qu'ils avaient passée sur son yacht…

Vivait-elle dans un monde d'illusions ? Cette question, Lauren se la posa de nouveau le soir même, quand ils se retrouvèrent dans le salon pour écouter de la musique. Emiliano avait placé dans le lecteur un disque d'Etta Jones. La chanteuse clamait de sa voix poignante et inimitable qu'elle préférait devenir aveugle plutôt que de voir l'homme qu'elle aimait la quitter.

« Je n'irai pas jusque-là, mais je n'en suis pas loin », pensa Lauren douloureusement.

Elle monta se coucher avant Emiliano. Quand il vint la rejoindre, elle faisait semblant de dormir.

Elle se réveilla plus tôt que d'habitude le lendemain, et constata que la place auprès d'elle était vide.

Elle prit une douche rapide dans la luxueuse salle de bains et enfila une robe blanche. Une fois prête, elle longea le couloir pour voir si Danny était réveillé. Voyant que la chambre de son neveu était vide, Lauren se hâta de descendre dans la grande cuisine ensoleillée et accueillante.

Emiliano était là, appuyé contre le bar. Vêtu d'une chemise blanche à manches courtes, d'une cravate et d'un pantalon clair, il parcourait le journal.

Danny était déjà installé dans sa chaise haute. Il suçait de petits morceaux de papaye, les yeux rivés sur la télévision murale qui diffusait un programme sur la faune sous-marine.

— *Buongiorno*, lui lança Emiliano en souriant. Je suppose que tu as bien dormi, après notre…

— Oui, s'empressa-t-elle de l'interrompre en voyant Constance sortir de l'arrière-cuisine.

La veille, bien qu'elle ait fait semblant de dormir quand Emiliano s'était couché, elle avait eu du mal à trouver le sommeil. Son amant l'avait vite compris et y avait remédié à sa manière…

Balayant les pensées torrides qui se bousculaient dans son esprit, Lauren répondit au salut chaleureux de Constance avant de s'approcher de son neveu et d'embrasser ses cheveux si doux.

— Bonjour mon petit chat, dit-elle en lui offrant un nouveau morceau de fruit. Que fais-tu dans la cuisine ?

Habituellement, il prenait son petit déjeuner dans la nursery ou sur la terrasse avec elle.

— Véga ! lança Danny en tendant sa petite main vers l'écran.

— Il était agité, expliqua Emiliano. Alors, nous sommes descendus tous les deux pour te laisser dormir.

Il avait agi comme un père l'aurait fait, pensa-t-elle, attendrie. Ou un mari aimant…

— Véga ! répéta le petit garçon en lui tapotant le bras pour attirer son attention.

— Que veut dire « Véga » ? demanda Emiliano, légèrement perplexe, en suivant le regard de son neveu fixé sur les récifs coralliens qui apparaissaient à l'écran.

— Véga est son poisson rouge. Enfin, l'un d'entre

eux, expliqua Lauren. Depuis, tous les poissons qu'il voit s'appellent Véga.

— Tu as donné un nom à ton poisson rouge ? fit-il d'un ton amusé, en échangeant un regard complice avec Constance.

— Là d'où je viens, les poissons, c'est pour manger, lança celle-ci avec son accent chantant tout en faisant l'inventaire des placards.

— Et les autres poissons rouges, ils portent aussi un nom ? questionna Emiliano.

— Nous n'en avons que trois. Et, oui, les deux autres s'appellent Altaïr et Deneb.

— Pardon ?

Il s'adossa contre le plan de travail, les bras croisés, la mine de plus en plus perplexe.

— Ils forment le Triangle d'été, développa Lauren. Ce sont les trois étoiles les plus brillantes. Dans le ciel de l'hémisphère nord, du moins.

— Bien sûr.

— En été.

— Evidemment.

— Tu te moques de moi ! l'accusa-t-elle.

— Non, non.

Mais un rire silencieux le secouait. Lauren entendait aussi des gloussements du côté des placards.

— Et comment t'es-tu procuré cet… illustre trio ?

— Je les ai sauvés du bassin de mon voisin. Il y avait une fuite.

Cette fois, Emiliano se mit à rire sans retenue.

— Le fond était percé ! tenta d'expliquer Lauren. Qu'y a-t-il de si drôle ?

— Rien.

Il secouait la tête, incapable de garder son sérieux. A l'autre bout de la cuisine, la porte d'un placard claqua. Mais Constance ne parvint pas par cette tentative à masquer un nouvel accès d'hilarité.

— Tu es incroyable, Lauren Westwood, dit Emiliano. Fascinante, drôle, affectueuse aussi et…

Il couvrit la distance qui les séparait. Tapotant du doigt son nez saupoudré de taches de rousseur, il ajouta dans un murmure pour n'être entendu que d'elle seule :

— … et terriblement sexy.

Les notes acidulées de son eau de toilette montèrent à la tête de Lauren. Le cœur battant, elle leva les yeux.

— Mais cinglée aussi, n'est-ce pas ? dit-elle sur un ton de défi. C'est ce que tu penses.

Le genre de cinglée qui tombait amoureuse d'un homme à la fois dangereux et inaccessible pour elle, ajouta-t-elle en son for intérieur.

— Je n'ai pas dit ça, se défendit Emiliano.

Ses yeux sombres gardaient leur lueur taquine. Sentant la situation lui échapper, Lauren choisit de se justifier :

— Je ne raffole pas spécialement des poissons rouges. Je les ai ramenés à la maison pour Danny. Il a fallu les baptiser. Et comme la veille j'avais regardé une émission sur le cosmos, ça me semblait approprié de donner des noms d'étoiles à ces petits poissons brillants.

Emiliano consulta sa montre et s'approcha de Danny.

— *Ciao, piccolo*, dit-il en ébouriffant les boucles brunes du petit garçon. Sois bien sage, *bambino*. D'accord ?

Le garçonnet leva les yeux vers son oncle et lui sourit ; Lauren en eut le cœur serré. Il avait les mêmes cheveux qu'Emiliano, et aussi ce port de tête qui annonçait déjà un caractère fier — même s'il avait hérité les yeux bleus de sa mère et tenait davantage des Westwood que des Cannavaro.

— Tu t'en vas ?

Lauren s'en voulut d'avoir laissé échapper une note de regret dans sa voix. Sans parler de la stupidité de sa question ! Elle aurait dû deviner qu'Emiliano était sur le point de s'absenter : il ne s'habillait pas de cette façon pour se prélasser au bord de la piscine !

— Déçue, Lauren ? J'ai toutes mes chances alors…

Par-dessus la tête de Danny, elle vit la bouche séduisante de son amant s'ourler en un sourire éminemment satisfait. Puis il lui fit signe qu'il voulait lui parler seul à seule. Vérifiant que leur neveu était toujours fasciné par les images sous-marines qui défilaient à l'écran, Lauren rejoignit Emiliano dans le hall spacieux.

La porte d'entrée était ouverte et le soleil, qui entrait à flot entre les piliers du porche, inondait de lumière le dallage et les plantes exotiques. Une belle journée s'annonçait.

— J'aurais aimé que tu m'accompagnes, commença Emiliano. Malheureusement, c'est impossible. Je vais déjeuner avec des représentants de la municipalité. Puis je participerai à une conférence sur le commerce équitable et le tourisme. Seuls les spécialistes sont invités.

Le discours qu'il devait prononcer, se remémora Lauren.

— Mais je serai de retour avant le dîner, reprit-il. Et ce soir, *cara mia*, nous parlerons.

— Au sujet de Danny ? s'enquit Lauren avec anxiété. Parce que si…

— Non. Pas de Daniele. Enfin… *sí*, bien sûr, d'une certaine façon.

Sa bouche s'approcha vers la sienne, et avant qu'elle ait eu le temps de lui demander des précisions, il l'embrassa tendrement.

Ainsi, le moment était venu de solder les comptes, songea-t-elle, hébétée. Emiliano avait passé du bon temps avec elle, mais maintenant il était temps de passer aux choses sérieuses — à savoir, la garde de Danny. C'était même l'unique raison de sa propre présence ici.

Elle voulut prendre la parole, mais la bouche d'Emiliano devenait insistante, envoûtante. Ses mains lui soutenaient la nuque et ses doigts se perdaient dans sa chevelure. Qu'aurait-elle pu dire, de toute façon ? Il l'avait menée là où il voulait et savait qu'elle était incapable de lui résister quand il l'embrassait ainsi.

Et maintenant, elle était à sa merci. A tel point que, les

bras passés autour du cou d'Emiliano, elle se coula contre son corps solide, en dépit des injonctions de sa raison. Oui, elle se trouvait dans un état de soumission. Parce qu'elle ne pouvait faire autrement que de céder à cet homme, qu'elle le veuille ou non !

Quand il mit fin à leur baiser, elle n'était ni plus ni moins qu'une poupée de chiffon entre ses bras.

— Je pense, *signorina* Westwood, que nous devons prendre une résolution sans tarder.

Lauren nota avec crainte qu'il était autoritaire, déterminé et légèrement impatient. Elle tremblait encore de son étreinte enivrante quand il tendit le bras derrière elle pour s'emparer de sa veste et de son attaché-case, posés sur une chaise.

Au moment où il se détournait pour sortir de la villa, il déclara :

— Je pense que nous devrions nous marier.

Emiliano ne rentra pas pour le dîner comme il l'avait promis. Après avoir mis Danny au lit, Lauren se pelotonna sur l'un des sofas du salon et feuilleta un magazine. Deux heures plus tard, comme Emiliano n'était toujours pas de retour, elle décida de descendre sur la plage pour se dégourdir les jambes.

Comment pouvait-il lui présenter une demande en mariage comme s'il s'agissait d'une chose sans importance et disparaître ensuite ? Il fallait qu'il ait bien peu d'égards pour elle… Tout en méditant la situation, Lauren faisait voler le sable du bout de ses sandales. Emiliano avait-il parlé sérieusement ? C'était peut-être des paroles en l'air… Sur un tel sujet, quel manque de tact !

Elle était d'autant plus démoralisée que le journal télévisé avait consacré un bref reportage à la conférence à laquelle il avait participé. Elle avait vu quelques images tournées pendant son discours et la caméra avait aussi montré Emiliano à la sortie, accompagné des organisateurs de l'événement. Ou plutôt de l'organisatrice... Une beauté métisse à la silhouette de mannequin qui dévorait des yeux le séduisant orateur italien.

Arrivée au bout de la plage, le cœur serré, Lauren regarda le yacht, toujours à l'ancre au loin. Dès le lendemain, il ferait route vers la Barbade.

Juste à la verticale, une étoile solitaire étincelait dans le ciel nocturne. Elle la fixa, tâchant de trouver un peu de consolation.

— Saurais-tu me dire comment s'appelle celle-ci ?

La voix d'Emiliano, profonde et légèrement moqueuse, lui parvint par-dessus le bruissement des vagues. Lauren se retourna, s'adjurant au calme, même si le sang rugissait dans ses veines.

— Je... Je n'en sais rien, balbutia-t-elle. C'est peut-être une planète. Vénus ?

— La déesse de la beauté.

Elle sentit son cœur battre la chamade en le voyant sortir de l'ombre. C'était elle et non l'étoile qu'il regardait. Il portait les mêmes vêtements que le matin mais s'était débarrassé de ses chaussures. La brise faisait gonfler les pans de sa chemise déboutonnée.

— Tu sais que tous les reliefs de cette planète portent des noms de femmes ? reprit-il.

Lauren laissa échapper un petit rire tendu.

— Non, je l'ignorais. Donc, tu connais bien le ciel...

Emiliano s'avança et elle remarqua son sourire ironique.

— Beaucoup mieux, je pense, que je ne connaîtrai jamais les femmes.

De nouveau, elle ébaucha un rire. Des mèches s'échappaient de son chignon lâche sous l'effet de la brise et elle les ramena en arrière.

— Nous sommes donc si complexes que cela pour

toi ? Moi qui croyais que tu étais un expert mondial en la matière !

— Ça, c'est une conclusion totalement erronée véhiculée par des journalistes trop zélés. Alors ?

— Alors, quoi ? demanda-t-elle, le souffle court, craignant de deviner le sens de sa question.

— Penses-tu aussi que nous devrions nous marier ?

Seigneur ! Comment pouvait-il parler avec une telle désinvolture quand son propre cœur allait imploser ?

— Je… Je n'y ai pas encore réfléchi, répondit-elle pour temporiser, même si elle n'avait pensé à rien d'autre de toute la journée. Je ne savais pas… que tu parlais sérieusement.

— Tu crois que j'aurais envie de plaisanter sur un sujet pareil ?

Oui, c'était ce qu'elle avait pensé quelques minutes plus tôt. Mais elle refusa de l'avouer.

— Je ne sais pas, déclara-t-elle d'une voix qui tremblait légèrement. Je me disais que si tu attendais vraiment une réponse de ma part, tu aurais au moins téléphoné.

— *Cara*, je n'ai pas l'habitude de discuter des décisions capitales par téléphone.

Une *décision capitale* ? Se rendant compte qu'il parlait on ne peut plus sérieusement, Lauren resta muette de stupeur.

— Tu veux rester avec moi, n'est-ce pas ? la pressa-t-il.

— A… A ton avis ? articula-t-elle, la gorge nouée.

— Je n'en suis pas sûr, Lauren. C'est pourquoi j'aimerais entendre ta réponse.

— Bien sûr que je veux rester avec toi…

Puis détournant les yeux, elle fixa les vagues qui venaient mourir sur la grève.

— Mais se marier… ce n'est pas seulement vouloir être avec quelqu'un, ajouta-t-elle plus bas.

— Qu'y a-t-il d'autre ? dit Emiliano, un sourire dans la voix.

Et comme elle fronçait les sourcils, intriguée par sa question, il ajouta :

— Bien sûr, il y a le respect mutuel, la confiance, l'admiration et, par-dessus tout, la compatibilité. Or, nous sommes compatibles dans beaucoup de domaines — un en particulier…

Sa voix devenait chaude et séduisante comme la nuit tropicale qui les enveloppait.

— Même si nous venons de mondes différents ?

— Je te demande de partager le mien, Lauren.

Elle se demanda pourquoi elle hésitait encore après de tels mots. Mais elle connaissait déjà la réponse : elle voulait entendre Emiliano lui dire qu'il éprouvait les mêmes sentiments qu'elle.

Oui, elle attendait désespérément qu'il lui déclare qu'il l'aimait…

— Pourquoi ? dit-elle pour gagner du temps. Parce que tu n'as pas trouvé de moyen plus simple pour garder Danny ?

Un long silence s'écoula, seulement troublé par le ressac de la mer et le souffle du vent dans les palmiers.

— Tu as raison, répondit-il finalement. Je n'ai pas trouvé mieux.

Du doigt, il effleura la courbe de sa joue.

— Je ne suis pas du genre sentimental. Mais me croiras-tu si je te dis que tu comptes énormément pour moi ?

Enormément ? Lauren ne put empêcher son cœur de bondir dans sa poitrine. Emiliano ne parlait pas d'amour, mais comme il venait de l'avouer, ces mots-là ne faisaient pas partie de son vocabulaire.

— Ça veut dire que…

Elle hésita, appuyant son visage contre la main caressante de son compagnon. Un petit frisson de plaisir lui courut le long de l'échine, traçant un sillon brûlant.

— … tu as finalement compris que je n'en avais pas après ta fortune ? acheva-t-elle.

Un rire monta de la gorge d'Emiliano.

— Si tu étais une croqueuse de diamants, me ferais-tu attendre si longtemps pour me donner ta réponse ?

— Eh bien… Peut-être, répondit-elle d'un ton espiègle cette fois.

Elle s'humecta les lèvres et un élan d'excitation l'envahit en voyant le regard sombre d'Emiliano se plisser et suivre son geste provocant.

— Dans quel but ?

— Pour te faire croire que mes intentions sont honorables. Pure stratégie, très cher !

— Oui, bien sûr, fit-il en se raidissant.

Lauren perçut son changement d'humeur et regretta tout à coup d'avoir évoqué ce souvenir.

— Désolée, s'excusa-t-elle. C'était une mauvaise plaisanterie.

— Dans ce cas, vas-tu me donner enfin ta réponse ?

— A ton avis ?

Emiliano posa les mains sur ses épaules.

— Je veux t'entendre le dire, insista-t-il d'un ton presque suppliant.

— Oui ! Oh ! oui, s'écria alors Lauren en se jetant à son cou.

Emiliano l'enlaça et captura sa bouche en un baiser ardent. Elle était ivre de joie. Elle lui appartenait ! Maintenant et pour toujours.

Elle le lui prouva de la plus éloquente des façons, en s'offrant à lui sur la plage. Sans retenue, avec pour seuls témoins la mer et le ciel peuplé d'étoiles.

8.

La robe en mousseline blanche de Lauren voletait délicatement autour de ses mollets, et le vent soulevait les pétales blancs des pervenches qu'elle avait glissées dans ses cheveux. Debout sous une arche décorée de fleurs, les pieds nus sur le sable rose, elle ne pouvait s'empêcher de s'émerveiller de la tournure que sa relation avec Emiliano avait prise en si peu de temps.

Trois semaines seulement s'étaient écoulées depuis le fameux matin où il lui avait fait sa surprenante proposition. Au soir, quand ils s'étaient retrouvés sur cette même plage où elle allait bientôt dire « oui » à l'homme qu'elle aimait, elle avait compris qu'il était sincère. Et depuis cet instant extraordinaire, sa vie s'était accélérée.

Même s'ils avaient tous deux souhaité se marier dans la plus stricte intimité, en présence seulement du personnel de la villa, il avait tout de même fallu obtenir une licence de mariage, penser aux fleurs, aux photos, à la composition du buffet et organiser le voyage de noces. Sans compter que Lauren avait aussi dû régler un certain nombre de choses chez elle, en Angleterre.

Comme ils avaient décidé de garder leur mariage secret, du moins pour l'instant, Lauren avait envoyé sa démission au patron de la jardinerie en disant simplement qu'elle prolongeait son séjour aux Caraïbes. Elle avait donné la même excuse à Fiona, même si elle brûlait de lui annoncer la bonne nouvelle et que son amie avait la gentillesse de relever son courrier et de vérifier que tout était en ordre dans la maison. Sans oublier les poissons rouges à nourrir !

En dépit de cette précipitation, Lauren avait quand même pris le temps d'acheter une jolie robe de mariée dans une boutique de l'île. Une toilette vaporeuse à décolleté grec et jupe déstructurée à volants, qui la faisait ressembler davantage à une nymphe tout droit sortie de l'imagination romantique d'un peintre qu'à la future épouse d'un milliardaire.

A présent que le grand jour était arrivé, elle n'avait d'ycux quc pour l'homme qui se tenait auprès d'elle. Il était beau à tomber en chemise italienne et pantalon blancs, et le regard qu'elle posait sur lui disait les mots qu'elle n'avait pas encore osé prononcer : « Je t'aime ».

Emiliano ne le lui avait pas plus dit qu'elle, bien sûr… Mais n'avait-elle pas la preuve de son amour dans le magnifique solitaire qu'il avait passé à son doigt une semaine plus tôt ? Dans les vœux solennels qu'il s'apprêtait à prononcer ? Et dans la façon dont il semblait ne jamais se rassasier de son corps et de sa présence ?

Alors que l'officiant prenait la parole, Lauren essayait de savourer chaque seconde de ces moments précieux, pour elle mais aussi pour pouvoir un jour les raconter à Danny — et à leurs propres enfants. Elle se sentait si heureuse qu'elle avait l'impression d'être dans un rêve, ou dans un conte de fées, et que tout cela arrivait à quelqu'un d'autre.

Deux bouquets avaient été livrés pour elle ce matin : une gerbe de lys blancs de la part du personnel et deux douzaines de roses rouges de la part d'Emiliano. Elle avait décidé d'ajouter quelques-unes de ces fleurs à son joli bouquet de mariée, qu'elle avait elle-même réalisé avec des fleurs tropicales.

— Je pense que vous devriez en mettre davantage d'une autre couleur, lui avait conseillé Constance en entrant dans la chambre, vêtue d'un charmant tailleur turquoise assorti d'un chapeau. Je ne suis pas vraiment superstitieuse, mais les gens d'ici disent que trop de rouge et de blanc apporte le mauvais œil.

— Oh ! Constance, lui avait-elle gentiment reproché en souriant, ne soyez pas si rabat-joie.

Elle avait failli ajouter qu'elle avait assez supporté les superstitions de son astrologue de mère pour prendre au sérieux ces croyances locales. Après tout, que pouvait-il lui arriver de fâcheux alors qu'elle épousait l'homme qu'elle aimait ?

Au moment d'échanger leurs serments devant la petite assemblée, Lauren regarda son futur mari avec un sourire ému. Ses beaux yeux sombres reflétaient une émotion si intense que son cœur faillit jaillir hors de sa poitrine, débordant d'amour.

Leur baiser langoureux fut salué par des vivats et des applaudissements. Quand ils s'écartèrent enfin l'un de l'autre, leurs regards restèrent longtemps rivés, comme s'ils étaient seuls au monde.

Puis Emiliano se tourna vers Constance qui, la mine radieuse, tenait Danny dans ses bras depuis le début de la cérémonie.

— Que penses-tu de *mamma* et *papà*, *piccolo* ? demanda-t-il en prenant l'enfant. Tu vas être heureux pour le reste de ta vie, non ?

En entendant ces mots, Lauren chavira de bonheur et de fierté. Oui, ils formaient tous les trois une vraie famille à présent.

— Et maintenant, bon appétit à tous ! lança Emiliano à l'assistance en désignant le buffet et le barbecue. Je sais que vous n'êtes venus que pour ça !

Tout le monde rit de bon cœur et un petit orchestre se mit à jouer, donnant à la fête une ambiance typiquement tropicale.

A mesure que les heures passaient, Lauren se disait que leur mariage n'aurait pu être plus beau. Le champagne aidant, les rires et les conversations devenaient plus animés. Le seul photographe qui avait été invité capturait les instants mémorables de cette journée. La musique, le sable rose, les palmiers bercés par le vent et le soleil qui glissait doucement dans la mer turquoise… Oui, la féerie était parfaite.

— Heureuse ? demanda Emiliano en resserrant son étreinte autour d'elle, tandis qu'elle admirait le ciel rougeoyant et l'embrasement des vagues.

— Pourquoi diable me posez-vous cette question, *signor* Cannavaro ? s'exclama-t-elle en riant.

En réponse, il la bâillonna d'un baiser délicieusement tendre.

Leurs valises étaient prêtes. Dès le lendemain matin, ils s'envoleraient pour New York où ils passeraient deux jours.

— Là-bas, on te constituera une nouvelle garde-robe. C'est extrêmement urgent, avait commenté Emiliano en remarquant les quelques vêtements bon marché qu'elle avait mis dans la valise qu'il lui avait offerte pour l'occasion.

Leur voyage de noces serait bref, car ils étaient tous deux impatients de retrouver leur neveu. Ce soir, pour leur nuit de noces, ils resteraient à la villa.

Après la petite fête, ils remontèrent, enlacés, les marches de la véranda. Danny était couché depuis une heure et s'était endormi, bercé par la belle voix mélodieuse de Constance. Lauren savait que cette journée merveilleuse s'achèverait de façon sublime.

En riant, ils pénétrèrent dans la fraîcheur délicieuse de la villa. Elle se délectait de l'étreinte de son bras solide passé autour d'elle quand elle entendit soudain Emiliano ravaler son souffle. Elle leva les yeux.

Une femme brune, mince et élégante venait de sortir du salon. Vêtue d'une robe griffée bleu pâle que complétait une parure en saphir, Claudette Cannavaro ressemblait encore au mannequin qu'elle avait été vingt-cinq ans plus tôt.

— *Buonasera*, Emiliano.

— Claudette, répondit-il d'un ton à la fois surpris et prudent. Tu as appris la nouvelle avant que j'aie eu le temps de t'avertir moi-même.

Puis se rappelant ses bonnes manières, il présenta Lauren.

— Oui, nous nous sommes déjà rencontrées, déclara brièvement la belle-mère de son mari, s'adressant à elle avec encore plus de froideur qu'elle n'en avait montré au mariage d'Angelo et Vikki. Emiliano, pouvons-nous parler ?

— Bien sûr.

Le front barré d'un pli soucieux, il jeta à Lauren un regard appuyé. Etait-ce du regret ou une légère impatience qu'elle lisait dans ses yeux ? Quoi qu'il en soit, elle comprit que sa présence n'était pas souhaitée.

— Allez-y, dit-elle en s'efforçant de sourire. J'ai encore mille choses à faire avant notre départ.

Sur quoi, elle monta l'escalier. Pour une raison qu'elle ne pouvait s'expliquer, Claudette Cannavaro ne lui inspirait pas confiance…

Emiliano regarda sa jeune épouse s'éloigner et, à contrecœur, reporta son attention sur sa belle-mère.

— Pourquoi n'as-tu pas téléphoné avant de venir ?

Et pourquoi Claudette avait-elle tenu à être là pour commencer ? Il était bien persuadé qu'elle se moquait éperdument de son mariage !

Irrité, il la suivit dans le salon.

— Si je t'avais appelé, tu m'aurais évincée sous le prétexte minable que tu voulais célébrer tes noces de façon très privée, dit-elle avec un petit rire hautain.

— Comment l'as-tu appris ?

— Emiliano, tous les administrateurs de la fortune

de ton père ne sont pas aussi discrets que toi. L'un d'eux croyait sans doute que j'étais au courant, sinon il n'aurait pas lâché l'information. Personnellement, je n'aurais pas cru que cela se ferait si vite. N'est-elle pas la sœur de…

Claudette ne termina pas sa phrase et prit place sur un sofa. Bon sang ! De quoi se mêlait-elle ? Emiliano prit une profonde inspiration pour garder son calme.

— Qu'elle soit ou non la sœur de Vikki, il me semble que cela ne concerne que Lauren et moi, dit-il d'un ton abrupt. Personne d'autre.

— Tu as raison, convint-elle avec un léger haussement d'épaules, qui avait sans doute valeur d'excuse. Je me trouvais en Floride car Pierre, mon nouveau mari, doit disputer une partie de golf aux Bermudes. J'allais venir ici pour te voir de toute façon, même avant d'être au courant de ton mariage. Les funérailles de ton frère ne semblaient pas un moment approprié pour te parler, n'est-ce pas ? J'espérais seulement arriver avant la cérémonie.

— Désolé que tu l'aies manquée.

C'étaient là des mots plus courtois que sincères. La dernière fois qu'Emiliano avait parlé à Claudette — en dehors des funérailles d'Angelo, où ils n'avaient échangé que des condoléances —, remontait à plus de quatre mois. Il lui avait rendu visite à Milan à un moment où il s'inquiétait pour son frère. Il avait reproché à Claudette de fermer les yeux sur la conduite irresponsable d'Angelo, qui était devenu accro à l'alcool et au jeu, et qui collectionnait les maîtresses. Il l'avait aussi accusée de ne pas s'intéresser à son petit-fils, au point de ne pas chercher à savoir où Daniele avait été placé. Jusque-là, son indifférence l'avait hérissé. Mais il était entré dans une colère noire quand elle lui avait fait remarquer que Daniele n'était que « l'enfant de son beau-fils », et donc qu'il n'était pas sa responsabilité mais celle d'Angelo.

— C'est tout ce qui t'intéresse ? De déterminer qui en est *responsable* ? avait-il lancé, furieux.

— Je te défends de t'en prendre à moi, avait rétorqué Claudette. C'est à ton frère que tu dois t'adresser.

Emiliano chassa ces souvenirs sombres. Il refusait de penser à tout cela aujourd'hui. Il releva les yeux sur sa belle-mère.

— Je suis désolée d'avoir à t'annoncer de mauvaises nouvelles, déclara celle-ci avec une expression qui ressemblait à de la sincérité. Surtout en ce jour qui est censé être le plus heureux de ta vie — ou est-ce que cela vaut uniquement pour les femmes ?...

De nouveau, elle laissa échapper un rire froid.

— Claudette, de quoi s'agit-il ? demanda Emiliano à bout de patience. Un problème en Italie ? Tes finances ? As-tu des difficultés à toucher la rente que mon père t'a laissée ?

Elle le regarda longuement. Si longuement qu'il faillit perdre son sang-froid.

— Emiliano, dit-elle enfin, il vaudrait mieux que tu t'assoies.

Quand Lauren ouvrit la porte de la suite qu'Emiliano et elle occupaient dans la villa, elle n'en crut pas ses yeux.

Apparemment, Constance et quelques employés avaient tenu à mettre leur touche personnelle aux préparatifs du mariage. Le lit immense avait été recouvert d'un jeté de soie brodée avec ses taies d'oreillers assorties et une multitude de coussins en satin blanc. La tête de lit était décorée d'une guirlande de fleurs d'hibiscus fraîchement cueillies aux pétales roses, jaunes et pourpres. Sur la commode était posé un vase débordant de fleurs blanches exotiques dont le parfum embaumait la chambre.

Par-delà la fenêtre, un croissant de lune complice brillait au-dessus du feuillage bleu-violet du jacaranda. Les lézards et les grillons avaient déjà commencé leur chorale nocturne, accompagnant le rythme cadencé du reggae que les musiciens continuaient de jouer pour les derniers convives attardés sur la plage.

La nuit était décidément parfaite…

Lauren ôta sa robe de mariée avec précaution, puis la suspendit dans la garde-robe avant de prendre une douche. Ensuite, tout en massant son corps avec le précieux lait de beauté qu'on avait discrètement placé pour elle dans la salle de bains depuis qu'elle avait changé de chambre, elle se demanda ce qui retenait Emiliano.

Bien sûr, elle comprenait que Claudette et lui aient besoin de s'expliquer. La Française n'avait montré aucune sympathie vis-à-vis d'elle, pas plus qu'elle n'en avait témoigné à Vikki ; cependant, rendre visite à son beau-fils le jour du mariage de celui-ci était tout à son honneur, il fallait l'admettre.

Elle enfila un peignoir de soie émeraude et se dirigea vers la coiffeuse pour brosser ses cheveux. Une folle excitation la gagnait. Dans un moment d'abandon, elle releva sa chevelure et garda les bras levés en une pose sensuelle. Ses yeux clairs brûlaient d'un feu ardent et le galbe de ses seins était nettement visible dans l'échancrure profonde du peignoir. Celui-ci était du même vert que la robe de soirée qu'elle avait portée le soir où elle avait rencontré Emiliano. Cette couleur lui apparaissait comme un heureux présage…

Elle entendit soudain qu'on tournait la poignée de la porte et elle en eut des papillons dans l'estomac.

Emiliano referma le battant derrière lui. Lauren le voyait de dos dans le miroir de la coiffeuse et elle garda sa pose provocante, un sourire aux lèvres. Elle voulait qu'il la voie ainsi, en femme fatale dans sa tenue affriolante, avide de plaire à l'homme dont elle était éperdument amoureuse et qu'elle avait promis de chérir pour la vie.

— Je pensais que tu avais changé d'avis, murmura-t-elle d'une voix câline. J'étais prête à envoyer du monde partir à ta recherche. Avais-tu oublié dans quelle chambre j'étais ?

Il se détourna enfin. Dans le miroir, Lauren vit qu'une

expression glaciale figeait ses traits. Son sourire disparut aussitôt. Elle laissa retomber ses cheveux et se tourna vers lui.

— Que se passe-t-il ? demanda-t-elle, alarmée. Emiliano, qu'y a-t-il ?

9.

— Pourquoi ne m'as-tu pas dit que Daniele n'était pas l'enfant de mon frère ?

La question d'Emiliano résonna comme un coup de tonnerre dans le silence de la chambre.

— De… De quoi parles-tu ? balbutia Lauren, la gorge nouée.

— Du fait que ta sœur portait l'enfant d'un autre quand elle a épousé Angelo, et que tu le savais ! lança-t-il d'un ton fracassant.

Lauren pâlit ; elle avait l'impression que le sang s'était retiré de son visage. Elle secoua la tête.

— Non…, répondit-elle dans un souffle.

— Tu veux me faire croire qu'elle ne t'avait rien dit ?

Le doute et le mépris imprégnaient chacun de ses mots. Lauren déglutit avec peine.

— Non, ce n'est pas ça ! En fait…

— Oui ? la pressa-t-il, impitoyable.

Seigneur ! Où était l'homme qui avait prononcé ses vœux d'un ton si sincère quelques heures plus tôt ? Le changement qui s'était opéré sur ses traits était effrayant. Lauren ne le reconnaissait plus.

— Je veux dire… Quand Vikki a quitté ton frère, elle… elle m'a confié qu'elle lui avait dit des horreurs. Parce qu'il la menaçait de garder Danny pour l'empêcher de partir. Alors, afin de reprendre sa liberté et d'emmener son enfant avec elle, ma sœur lui a raconté qu'elle avait eu une aventure après leur dernière rupture précédant le mariage et que Danny n'était pas de lui.

Lauren se rappelait le choc terrible qu'elle avait reçu en apprenant l'affaire. Puis son soulagement quand sa sœur était revenue sur ses déclarations.

— Elle a demandé pardon à Angelo par la suite, poursuivit-elle. Elle lui a expliqué qu'elle avait inventé cette histoire parce qu'il se montrait exécrable.

Emiliano ébaucha une moue de dégoût.

— Elle s'est surtout aperçue qu'elle risquait de perdre une pension alimentaire très conséquente si elle ne revenait pas sur ses déclarations.

— Ce n'est pas vrai ! protesta Lauren avec véhémence.

Sa sœur avait fait des choses discutables dans sa vie, mais jamais elle n'aurait menti sur la paternité de son bébé pour arriver à ses fins. Du moins… Bon sang, elle détestait les doutes qui s'infiltraient dans son esprit ! Pourquoi diable n'avait-elle jamais pu avoir confiance en Vikki ? Et puis elle était incapable d'oublier les derniers mots lourds de sens que sa sœur avait prononcés le jour où elle lui avait laissé Danny : « Je vais lui soutirer tout ce que je peux. Jusqu'au dernier sou ! »

— Ta belle-mère vient de te raconter ça ? demanda-t-elle, sur la défensive. Pourquoi ? Pour gâcher le jour de ton mariage ? Elle ne veut donc pas te voir heureux ?

— Absurde ! répliqua Emiliano avec mépris. Claudette et moi ne nous sommes pas toujours entendus, mais ma belle-mère n'est pas une femme belliqueuse. Elle a appris cette histoire de la bouche d'Angelo deux semaines avant sa mort.

— Alors pourquoi ne t'en a-t-elle pas informé à ce moment-là ?

— Nous n'étions pas en contact. Et j'étais la dernière personne à qui mon frère se serait confié, avoua-t-il d'un air sombre. Mais je ne comprends pas que *toi*, tu ne m'aies rien dit.

— Parce que ça ne m'est pas revenu en tête, riposta Lauren, indignée. Et même si je m'étais souvenue de cette histoire, je n'aurais pas cru bon de t'en parler, parce que ça n'en valait pas la peine. Vikki et Angelo…

Elle n'eut pas le cœur de dire « ne sont plus là » et se reprit :

— C'est juste un truc que Vikki a inventé pour ne pas perdre la garde de Danny, mais qu'elle a regretté ensuite.

Les remarques d'Emiliano la blessaient. Une fois de plus, il mettait en doute son honnêteté, exactement comme par le passé. Sauf que c'était mille fois pire aujourd'hui parce qu'elle l'aimait, qu'elle portait son alliance au doigt et… et qu'il lançait ses accusations dans cette chambre spécialement apprêtée pour leur nuit de noces.

— Comment m'accuser de la sorte ? jeta-t-elle, contenant à grand-peine son émotion. Et même imaginer que j'aurais pu te laisser croire…

Elle se tut, trop bouleversée pour continuer. Elle secoua la tête et prit une grande inspiration.

— Bien sûr que Danny est le fils d'Angelo ! Même si pour l'instant il tient plus des Westwood, il a certains traits des Cannavaro. Tu l'as dit toi-même à plusieurs reprises.

— Un homme peut facilement se persuader de ce qu'il veut voir, lui opposa-t-il.

— Et tu t'es persuadé du pire apparemment ! Qu'est-ce que tu essaies de me dire, Emiliano ? Que je t'ai menti pour me faire épouser ?

— Toi seule connais la réponse à cette question, Lauren.

Comme elle fixait avec incrédulité ses traits durs, se demandant douloureusement où il voulait en venir, il tira de la poche de son pantalon une feuille de papier, qu'il déplia.

— Peut-être pourrais-tu m'expliquer ceci ?

Au lieu de lui montrer le document, il se mit à le lire à haute voix. Horrifiée, Lauren reconnut une lettre qu'elle avait écrite à Vikki peu de temps après que celle-ci eut quitté son mari.

— « Tu ne peux pas continuer à vivre chez Matthew comme tu l'as fait lors de votre précédente séparation. Maintenant que tu es mariée, ce n'est pas loyal envers Angelo. Et tu ne lui feras jamais croire que Daniele est son fils s'il vient à découvrir où tu es. »

— Comment as-tu eu cette lettre ? demanda-t-elle d'une voix blanche.

Elle essaya de la lui arracher des mains, mais Emiliano la tenait hors de sa portée. Imperturbable, il reprit sa lecture :

— « Et si jamais il l'apprend, tu perdras tout. Daniele perdra tout… »

— Je parlais de sa *famille* ! s'insurgea Lauren, devinant de quelle façon Emiliano interprétait cette phrase ambiguë.

Elle avait écrit cette lettre d'une part pour empêcher Vikki d'aggraver sa situation, d'autre part pour la convaincre de présenter des excuses à Angelo, au début, quand elle semblait trop fière et trop butée pour le contacter.

— Où as-tu eu ça ? répéta-t-elle.

Puis une vague de chagrin et d'angoisse la submergea en voyant qu'il jetait le papier sur le lit conjugal avec une expression de dégoût.

— Mon frère l'a trouvée parmi les affaires de ta sœur que la police lui a remises après l'accident. Tu m'as affirmé que tu n'avais pas revu Vikki depuis des années jusqu'à ce que vous vous retrouviez peu de temps avant le mariage. Ce n'est pas ce que dit cette lettre !

— C'est pourtant la vérité. Je n'avais pas revu ma sœur.

— Alors comment savais-tu qu'elle et ce Matthew avaient vécu ensemble avant ?

— Parce qu'elle me l'avait dit ! se défendit Lauren avec colère. Et elle ne *vivait pas avec lui*. Matthew n'était qu'un ami qui l'hébergeait.

— Un ami très cher, apparemment !

Oui, songea Lauren, un ami toujours prêt à accueillir Vikki sous son toit quand elle se mettait dans le pétrin. Parce qu'il l'aimait depuis l'adolescence. A l'époque, sa sœur n'était pas attirée par Matthew. Il lui avait surtout été utile quand elle avait eu besoin de se décharger de ses problèmes sur quelqu'un. Vikki avait toujours été ainsi : incapable de faire face aux ennuis que souvent elle avait causés. Mais expliquer le rapport entre Vikki et Matthew ne la disculperait pas aux yeux d'Emiliano. Et pouvait-elle affirmer que sa sœur ne s'était pas autorisée, par caprice, à coucher avec son vieil ami — voire même avec un autre homme ?

« Si ton frère pensait ne pas être le père de Danny, pourquoi ne s'en est-il pas expliqué avec moi, puisque cette lettre m'accuse ? », faillit-elle lui demander. Elle se ravisa. C'était totalement inutile. Et puis le comportement d'Angelo avait été suffisamment éloquent, puisqu'il avait abandonné Danny à la mort de Vikki — elle comprenait mieux pourquoi à présent…

Mais pourquoi avait-il attendu si longtemps avant de montrer cette lettre à sa belle-mère ? Avait-il refusé d'accepter qu'il pouvait avoir poussé sa femme dans les bras d'un autre homme ? Autant de questions qui, Lauren le savait, resteraient à jamais sans réponse…

Elle ferma brièvement les yeux puis tâcha de poser un regard neuf et apaisé sur Emiliano. Elle remarqua qu'il était accablé. Dévasté même.

Hélas, certainement pas autant qu'elle, maintenant qu'elle savait l'opinion qu'il avait d'elle…

— Tu ne vas pas croire ça de moi ? plaida-t-elle, désespérée. A moins de n'avoir aucune confiance en moi. Mais dans ce cas, pourquoi m'as-tu épousée ? Ou alors…

— Ou alors, quoi ? fit-il, glacial.

— Tu avais une autre raison de m'épouser.

Ses yeux sombres se plissèrent dangereusement.

— Lequel ?

— Danny.

Il laissa échapper un rire dur.

— C'est ce que tu penses ?

— Pourquoi pas ? Car tu ne peux pas avoir une très haute opinion de moi si, avant même le début de notre lune de miel, tu m'accuses d'avoir cherché à te piéger.

— Je n'ai rien dit de tel, se défendit Emiliano.

— Ah non ? Pour moi, c'est tout comme.

Cette fois, il ne répondit pas.

— En fait, tu n'as jamais cessé de croire que je voulais être ta femme pour ce que tu avais à m'offrir, n'est-ce pas ? Tu m'as jugée sans chercher à savoir qui je suis réellement. Puisque tu me juges si mal, alors ce que j'ai dit doit être vrai. Tu m'as épousée pour une seule raison : Danny. Tu voulais qu'il occupe la place qui est la sienne au sein du clan Cannavaro. Et tu as choisi le plus sûr moyen d'arriver à tes fins. Après tout, en m'épousant, tu obtenais non seulement que ton neveu vive avec toi, mais en plus, tu avais sous la main une mère toute prête pour s'occuper de lui !

« Sans parler d'une partenaire sexuelle plus que consentante ! », songea-t-elle, accablée de honte.

— Si j'ai bien compris, il ne nous reste plus qu'à examiner nos motivations respectives, déclara Emiliano, toujours aussi insensible.

— Peut-être, oui.

Lauren n'osait croire qu'ils vivaient leur première dispute, alors qu'ils venaient à peine de célébrer leur mariage. Mais c'était plus qu'une dispute, parce que Emiliano remettait en cause son intégrité et toutes les valeurs qui lui étaient chères et qui définissaient sa personnalité.

Il baissa les paupières d'un air las, comme s'il était fatigué d'argumenter, fatigué d'entendre ce qu'il prenait pour un tissu de mensonges. Pourtant, elle refusa de se laisser émouvoir par la tristesse qui se peignait sur ses traits incroyablement séduisants.

— A quoi penses-tu ? demanda-t-elle.

— A rien, dit-il d'une voix morne. Je ne sais plus que penser.

Les mains dans les poches, il passa devant elle pour se

poster devant l'une des fenêtres. Dehors, la musique s'était tue, les musiciens rangeaient leurs instruments, on avait débarrassé les tables du buffet.

— Eh bien, pour ma part…

Lauren s'interrompit et fit un vaillant effort pour contenir ses larmes. Ce fut d'une voix parfaitement maîtrisée qui l'étonna elle-même qu'elle reprit :

— … je n'ai pas envie de partager ce lit avec toi ce soir.

Emiliano pivota pour faire face à celle qui était désormais sa femme. Elle n'avait pas bougé et il la dévisagea longuement, comme pour graver dans sa mémoire son visage aux contours délicats, ses yeux verts brillants sous l'arc velouté des sourcils et son petit nez légèrement retroussé et parsemé de taches de rousseur. Puis son regard glissa vers son peignoir entrouvert de façon provocante.

Lauren sentit son pouls s'accélérer et tout son corps se mit à vibrer traîtreusement. Mais Emiliano hocha la tête d'un air désabusé. Puis, d'un pas rapide, il traversa la chambre et sortit sans un mot.

Lauren n'avait pas dormi de la nuit. A sa décharge, le sofa qui se trouvait dans le petit salon de la suite n'était pas prévu à cet effet… Mais elle n'avait pas eu le cœur de se coucher dans le lit préparé pour une nuit de rêve à deux. Elle n'avait pas non plus osé se faufiler dans son ancienne chambre — où, le matin même, elle avait été si heureuse de mettre sa toilette de mariée — au risque de faire jaser le personnel de la villa.

Comme les premières lueurs de l'aube filtraient à travers les jalousies, elle se leva péniblement. Elle souffrait de courbatures mais surtout tout son être était blessé, à vif, à cause de la scène terrible de la veille.

Avec précaution, elle entra dans la chambre.

Emiliano n'était pas encore revenu. La pièce était telle

qu'ils l'avaient laissée et le lit n'avait pas été défait. Les fleurs d'hibiscus, la veille si joliment entrelacées dans les barreaux de cuivre, étaient toutes tombées. Elles étaient destinées à ne durer qu'une nuit.

« Comme mon mariage », pensa Lauren, le cœur déchiré, au comble de la souffrance. Une fois de plus, elle se posa la question qui l'avait taraudée tout au long de cette nuit interminable : comment Emiliano et elle pourraient-ils aller de l'avant maintenant ? Il avait dit que le mariage était basé sur la confiance, mais il n'avait jamais eu confiance en elle. Sinon, comment une simple lettre formulée de façon irréfléchie — stupide même, elle l'admettait — pouvait-elle faire renaître aussitôt le mépris qu'il avait eu pour elle dans le passé et anéantir ce qui était né entre eux depuis ? Si toutefois quelque chose était né… Après tout, peut-être s'était-elle fait des illusions.

Quoi qu'il en soit, elle ne pouvait entamer une vie de couple avec un homme qui la détestait et la mésestimait si ouvertement. Et l'absence d'Emiliano prouvait bien qu'il était de cet avis. Même si Vikki n'avait pas trompé Angelo et que Danny était vraiment son fils, Emiliano ne le croirait jamais désormais. Et si l'enfant n'était pas un Cannavaro, il n'avait plus aucun droit sur lui.

Où cette histoire les mènerait-ils ? Refoulant ses larmes, Lauren accepta la réponse que toute la nuit elle avait refusé d'admettre : nulle part.

Absolument nulle part.

Avec des gestes d'automate, elle s'habilla et ouvrit la valise qu'elle avait bouclée la veille. A présent, il n'y avait qu'une seule issue possible. Une seule conduite à tenir.

10.

Un brouillard dense tombait des collines, apportant une pluie fine qui menaçait de persister toute la journée. Debout devant la table de la cuisine, Lauren était occupée à faire manger Danny.

— Tu es sûre que ça va ? lui demanda Fiona tout en pliant des serviettes. Je sais que c'est déprimant de trouver un temps pareil à ton retour, mais depuis que tu es rentrée, tu ne sembles pas dans ton assiette. Tu as les yeux cernés et je dirais que tu n'as pas bonne mine sous ton fabuleux bronzage.

Puis lançant un regard faussement sévère en direction du petit garçon dans sa chaise haute, elle lança :

— C'est ce petit gredin qui ne t'a pas laissée tranquille une minute ?

— Non, dit-elle vivement.

— Alors, que t'arrive-t-il ? insista son amie. Cela a quelque chose à voir avec ce type craquant qui t'a emmenée là-bas ? Il t'a fait des promesses qu'il ne pouvait pas tenir ?

— Non, bien sûr que non, mentit Lauren, troublée par la justesse de cette insinuation.

Elle s'en voulait de ne pas dire la vérité à Fiona, mais elle était incapable de raconter à quiconque les événements de ces dernières semaines. Elle ne portait plus les bagues d'Emiliano, qu'elle avait laissées dans la chambre à la villa, et elle se félicitait d'avoir consenti à garder leur mariage secret. Au moins, elle n'aurait pas à connaître l'humiliation d'annoncer qu'elle avait commis une terrible erreur…

— Je vais bien, renchérit-elle en adressant à son amie le sourire le plus sincère possible. C'est juste que j'ai beaucoup de choses auxquelles penser après une si longue absence.

Ce disant, elle coupait des mouillettes dans un toast pour que Danny les trempe dans son œuf à la coque. Une brusque envie de pleurer la saisit. Elle aurait tout donné pour pouvoir s'épancher sur l'épaule maternelle. Dans un valeureux effort de volonté, elle se redressa. Elle ne voulait pas s'effondrer devant Fiona et Danny.

— Je vais très bien, répéta-t-elle avec un maximum de conviction.

Fiona enfila son ciré.

— J'y vais, Lauren.

— Merci de fermer l'écurie en partant, lui demanda-t-elle. On se voit demain.

— Tu peux compter là-dessus.

Lauren savait qu'elle ne l'avait pas convaincue quant à son humeur. Mais son amie avait trop de bon sens pour essayer d'obtenir d'elle des réponses qu'elle refusait de lui donner.

— Fais attention sur la route, lui lança-t-elle encore.

Elle ne pouvait s'empêcher d'être soulagée à l'idée de rester seule. Elle s'en voulait de cette réaction, mais comment aurait-elle pu avouer à son amie qu'elle était tombée amoureuse de ce « type craquant », comme elle avait qualifié Emiliano, qu'elle l'avait épousé et que leur mariage s'était terminé avant même d'avoir commencé ? C'était au-dessus de ses forces, tout comme il lui avait été impossible d'expliquer à Constance, cinq jours plus tôt, pourquoi elle quittait l'île avec Danny sans attendre le retour de son mari.

Lauren avait réussi à refouler ses larmes jusqu'à l'arrivée du taxi. Cependant, quand la voiture s'était éloignée de la villa où elle avait été si heureuse et qu'elle avait vu

Constance agiter la main, la mine angoissée, elle n'avait pu retenir son émotion.

Si Emiliano lui avait téléphoné ce jour-là quand il avait constaté son absence, elle n'aurait pas eu le courage de lui parler — raison pour laquelle elle n'avait rallumé son portable que trois jours plus tard. Depuis, à chaque sonnerie, son cœur bondissait dans sa poitrine. Mais les appels n'étaient jamais d'Emiliano…

Que lui aurait-il dit de toute façon ? « Faisons une recherche de paternité et je déciderai si tu m'as dit la vérité ou non » ? Elle ne voulait pas de lui à ce prix-là.

Après sa fuite de la villa, elle avait embarqué à bord du petit avion d'une compagnie locale ; une fois sur l'île principale, elle avait pris le premier vol pour l'Angleterre.

Le début du voyage avait été mouvementé à cause des violentes tempêtes qui se préparaient au-dessus des Caraïbes. Lauren avait même entendu un des stewards dire que plusieurs îles avaient interrompu leurs liaisons aériennes. Du fond de son désespoir, elle s'était demandé comment Emiliano réagirait si leur avion se crashait en les emportant tous les deux, Danny et elle. Aurait-il été affecté ? Peut-être pas…

La voix de Fiona ramena Lauren dans la petite cuisine de la ferme, à côté de Danny. Elle était plongée si loin dans ses sombres pensées qu'elle n'avait pas entendu les paroles de son amie ; c'est seulement en voyant entrer Brutus qu'elle se rendit compte que celle-ci avait parlé au chien.

— Allez, Danny, il faut manger, dit-elle en trempant une mouillette dans l'œuf.

Son neveu semblait plus intéressé par le border collie qui se couchait dans son coin favori, près de la cuisinière, de sorte qu'il manqua la bouchée qu'elle lui proposait et se barbouilla la joue de jaune d'œuf.

Lauren ne put s'empêcher d'être émue. « Pauvre petit », se dit-elle en prenant une serviette. Il était l'unique raison qui avait amené chacun des frères Cannavaro à se marier ;

et l'un après l'autre, ils l'avaient abandonné, l'écartant de leur vie comme s'il n'était qu'un pion sur un échiquier.

« Arrête ! s'intima-t-elle. Tu ne vas pas te mettre à pleurer… »

Le lendemain, elle se rendrait à la jardinerie pour voir si son patron acceptait de la réintégrer dans son ancien poste. Puis, dans quelques semaines, elle entreprendrait des démarches afin de changer le nom de famille de Danny et lui donner le sien.

Quand Emiliano entra dans la cuisine de la ferme, la scène qu'il découvrit l'émut profondément. Tournant le dos à la porte, Lauren était penchée vers Daniele et lui essuyait la joue. Le chien qu'ils avaient sauvé ensemble était couché sur une vieille couverture, tandis que les poissons rouges nageaient dans leur aquarium posé sur une étagère. Il se demanda pourquoi il n'avait pas remarqué cet « illustre trio » lors de sa première visite.

— Pa… ! Pa… ! articula Daniele en repoussant la main de Lauren.

Le large sourire que le petit garçon lui adressait emplit Emiliano d'une émotion telle qu'il n'en avait jamais ressenti.

Lauren tourna la tête et retint une exclamation en voyant à qui son neveu souriait. Ses jambes se mirent à trembler et elle dut s'agripper à la table pour ne pas défaillir.

— Emiliano…

— Pa ! s'exclama Danny dans un cri de triomphe.

Hébétée, Lauren fixait l'homme époustouflant qui se tenait sur le seuil de la cuisine. Son mari… Ou ex-mari ? Des gouttes de pluie brillaient dans ses cheveux et sa veste sombre portait des traces humides.

— Bonjour, Lauren, la salua-t-il d'un ton calme.

— Qu'est-ce que… Qu'est-ce que tu fais ici ?

— Je te cherchais.

— Pourquoi ?

Elle avait une boule dans la gorge et ne pouvait parler qu'avec difficulté.

— Je crois que nous sommes toujours mariés, dit-il doucement en s'avançant dans la pièce.

— Ça ne veut plus dire grand-chose.

« Bonté divine ! Surtout, ne craque pas maintenant », s'exhorta-t-elle alors que des larmes lui picotaient les paupières. Résolument, elle redressa les épaules et croisa les bras.

— Ne t'inquiète pas, reprit-elle en durcissant le ton. C'est une situation à laquelle on peut facilement remédier.

Emiliano esquissa un hochement de tête presque imperceptible. Puis discrètement il posa un paquet sur la table.

— Parce que le mariage n'a pas été consommé ? répondit-il en s'approchant de son neveu, qui s'agitait vers lui.

— Ne le touche pas ! Tu n'en as pas le droit.

Il avait voulu caresser la joue de Daniele, mais cet ordre l'arrêta net. Lentement, il baissa le bras.

— Je suppose que j'ai mérité ça, dit-il d'une voix contrite.

— Vas-tu me dire ce que tu viens faire ici ?

— Je veux que tu reviennes, Lauren.

— Pourquoi ? jeta-t-elle, tremblante. Pour que nous fassions semblant d'être de jeunes mariés heureux, comme les autres le pensent ? Jusqu'à… jusqu'à ce que tu estimes qu'il est convenable de divorcer sans que tu perdes la face ? N'est-ce pas ainsi que les gens de ton milieu se comportent ?

Elle s'attendait à ce qu'il réplique vertement à cette attaque, mais il se contenta de demander :

— *Veux-tu* revenir auprès de moi ?

« Oui, en dépit de tout ! » mourait-elle d'envie de lui crier. Seigneur ! Que faisait-elle des valeurs qu'on appelait « dignité » et « respect de soi » ? Et il n'y avait pas qu'elle : Danny était concerné, lui aussi.

— Tu serais prêt à oublier que tu m'as traitée de menteuse, de calculatrice ? lança-t-elle à son visiteur inattendu.

Emiliano baissa les paupières et, pour la première fois, Lauren nota les larges cernes qui soulignaient ses yeux magnifiques.

— Je ne me souviens pas d'avoir employé ces mots-là, dit-il gravement.

— Oh ! Tu n'en avais pas besoin.

— Je suppose que cela ne ferait aucune différence pour toi si je te présentais des excuses.

— Pff… Ça m'étonnerait que tu t'abaisses à cela, déclara Lauren avec un rire amer.

— Tu as tort. Je me moque de l'opinion d'autrui. Ce n'est pas ça qui me préoccupe.

Elle lui jeta un regard méfiant.

— Alors, qu'est-ce que c'est ?

— Le fait que la femme que j'ai épousée et que j'ai fait fuir puisse être enceinte.

Lauren ouvrit de grands yeux, sidérée.

— Qu'est-ce qui te fait penser ça ? demanda-t-elle le plus dignement qu'elle put.

Puis elle reporta son attention sur Danny, qui gesticulait dans sa chaise haute. Elle voulut le prendre dans ses bras. Il avait grandi au cours de ce séjour au grand air et il était plus lourd aussi. Elle avait maintenant quelques difficultés à le porter.

Emiliano s'approcha et, avant qu'elle ait pu dire un mot, il souleva l'enfant avec aisance. Lauren frémit quand leurs mains s'effleurèrent accidentellement.

Il murmura de petits mots tendres en italien à son neveu, qui se mit à rire. Puis il le lui rendit.

— Pendant trois semaines, nous avons fait l'amour sans être protégés, lui rappela-t-il.

Certes, depuis l'instant où elle avait accepté de l'épouser, elle s'était donnée à lui corps et âme. Ce soir-là, sous les étoiles, puis toutes les nuits suivantes jusqu'au jour de leur mariage.

— Si ma femme est effectivement enceinte, alors je tiens à le savoir, reprit-il avec une cruelle détermination.

Bien sûr ! songea-t-elle, cynique. Avoir un héritier Cannavaro, voilà tout ce qui l'intéressait. Il fallait à tout prix préserver sa chère lignée et le nom influent qu'il portait !

— Si j'étais enceinte, crois-tu vraiment que je serais assez stupide pour t'en avertir ? répliqua-t-elle, cinglante, en berçant Danny sur sa hanche.

Celui-ci continuait de se débattre, tendant ses petites mains vers Emiliano — vers celui qui l'avait rejeté, en même temps qu'elle, quand il avait décidé qu'aucun lien ne les rattachait à lui !

— Tu n'arriverais pas à cacher longtemps que tu portes mon enfant. Désolé, *cara mia*…

Lauren eut l'impression étrange que sa voix se brisait sur ce mot tendre. Cependant, très vite, il se reprit :

— J'ai l'intention de rester dans les parages jusqu'à ce que je le découvre.

— Et que déciderais-tu si je portais notre enfant ? le défia-t-elle, submergée par une nouvelle vague d'émotion. M'intenter un procès pour obtenir sa garde ? L'emmener loin de moi comme tu comptais le faire avec Danny ? Eh bien, pour commencer, je ne suis pas enceinte, Emiliano. J'ai eu mes règles, donc tu peux cesser de rêver. Il n'y aura pas de bébé, ni quoi que ce soit d'autre que tu pourrais me prendre !

Là-dessus, elle éclata en sanglots. Dans des circonstances plus heureuses, elle avait espéré donner un frère ou une sœur à Danny. Mais ce temps-là était révolu, emportant avec lui ses espoirs et ses rêves.

*
* *

Lauren était incapable d'endiguer sa crise de larmes. Sans force, elle ne résista pas quand Emiliano lui prit Danny des bras. Alors, elle se détourna et cacha son visage dans ses mains, honteuse de sa faiblesse.

Elle entendit derrière elle un froissement de papier et la voix douce et profonde d'Emiliano parlant au garçonnet.

— *Carissima*..., murmura-t-il soudain tout près de son oreille. Pourquoi pleures-tu ?

Il posa des mains fermes sur ses épaules et Lauren perçut leur chaleur à travers la laine épaisse de son pull.

« Parce que je t'aimc... Jc t'aimais, mais tu es trop insensible et trop borné pour t'en rendre compte ! » avait-elle une envie féroce de lui avouer.

Au lieu de quoi, elle répondit d'une voix étouffée :

— Je veux que tu me laisses tranquille. Que tu t'en ailles.

— C'est une raison pour pleurer ? N'est-ce pas plutôt parce que je t'ai blessée ?

Doucement, il la fit pivoter vers lui et ôta les mains qui couvraient son visage noyé de larmes. Il sortit un mouchoir de sa poche et le lui tendit.

Lauren s'en empara. Etait-ce son imagination qui lui jouait des tours ou Emiliano sentait-il le soleil et le sable chaud sous son eau de toilette ? Elle s'essuya les yeux.

— Comment pourrais-tu blesser quelqu'un comme moi ? laissa-t-elle tomber avec une pointe de sarcasme. Je suis égoïste, fourbe, je fais des listes d'hommes riches pour les piéger et...

La bouche d'Emiliano posée sur la sienne mit fin à cette énumération. Ses lèvres étaient chaudes, insistantes, et Lauren répondit avec ferveur à son baiser, se pressant contre lui jusqu'à oublier sa fierté.

— Non, tu n'es rien de tout ça, dit-il d'une voix rauque contre ses cheveux. C'est moi qui suis égoïste, indigne de toi et terriblement maladroit. Tu m'as montré uniquement de l'amour, de la confiance, de l'affection, et je n'ai pas su le reconnaître avant que tu t'en ailles. J'ai passé notre nuit de noces à rouler à travers l'île, à arpenter des plages, pour finir dans un hôtel miteux quand je ne pouvais plus ni conduire, ni marcher, ni penser. J'ai dormi tard ; puis, comme un fou, j'ai repris le chemin de la villa pour te retrouver. Quand Constance m'a dit que tu étais partie en taxi avec Daniele et ta vieille valise, j'ai cru perdre la raison. J'ai essayé de te joindre toute la journée, la nuit et le lendemain, pour entendre chaque fois le même message. Je savais que tu refusais tout contact avec moi et que je le méritais. Alors, je me suis dit que c'était mieux ainsi, parce que je ne pouvais pas te dire par téléphone tout ce que j'avais sur le cœur. J'ai décidé de te suivre, mais les pilotes refusaient de décoller à cause de la tempête. J'étais coincé, dans l'impossibilité de te joindre. Cela a duré cinq jours et cela m'a paru cinq ans ! J'ai eu beaucoup de temps pour réfléchir à mes erreurs, *carissima*, et le plus insupportable, c'était de ne pas pouvoir réparer le tort que je t'avais causé.

Il poussa un long soupir avant de reprendre :

— Claudette n'a pas voulu me blesser délibérément. Elle n'aurait jamais agi contre mon intérêt. Mais quand elle m'a montré cette lettre et qu'elle m'a rapporté ce qu'Angelo lui avait dit, j'ai très mal réagi. J'étais sous le choc. Tout ce en quoi j'avais mis ma confiance venait d'être balayé d'un seul coup. Comme toi, je n'ai plus personne, plus de famille. Sauf Daniele, qui est la meilleure chose que mon frère m'ait laissée. Apprendre que finalement il n'était pas l'enfant d'Angelo m'a dévasté. Mais imaginer que tu le savais et que tu ne m'avais rien dit, et que par conséquent je te perdais aussi…

Sa voix se brisa, donnant toute la mesure de l'émotion qui l'étreignait et qu'il ne pouvait traduire en mots. Il brisa finalement le silence poignant qui s'étirait entre eux :

— J'étais si blessé, si anéanti que je t'ai dit des choses impardonnables. Mais à force d'errer sur l'île cette nuit-là, j'ai dompté ma colère et j'ai commencé à prendre du recul.

J'ai accepté… Non, j'ai *su*, corrigea-t-il avec une soudaine tendresse dans la voix, que jamais tu ne pourrais blesser ou duper quelqu'un de cette façon. Et tu as raison : j'ai la sale manie d'arriver à la mauvaise conclusion. Mais seulement en ce qui te concerne, Lauren. Et il y a une très bonne raison à cela.

Il prit une profonde inspiration et Lauren lut un tel émoi dans ses prunelles sombres qu'elle en eut le souffle coupé.

— Je t'aime, *carissima*. Je t'aime plus que je n'ai jamais aimé dans ma vie. Je sais que j'aurais dû te l'avouer avant, mais je te le dis maintenant. Et j'ai l'intention de te le répéter jusqu'à ce que tu en sois persuadée. Dis-moi au moins que c'est possible. Dis-le-moi, *amore mio*.

Une telle ardeur, une telle sincérité se lisaient sur ses traits torturés que Lauren en eut mal. Pour autant, elle ne parvenait pas à appréhender ses paroles. Etait-ce bien le fier, l'invincible Emiliano Cannavaro qui venait de mettre son âme à nu ?

— Je… Je te crois…, bégaya-t-elle enfin, bouleversée.

— Veux-tu revenir auprès de moi ? Aujourd'hui ? Je comprendrai si tu me dis qu'il te faut du temps. Ou même si tu m'envoies au diable…

— Oui, coupa-t-elle en levant une main pour lui caresser la joue. Oui, bien sûr que je reviens avec toi. Seulement…

Emiliano la tenait juste assez loin de lui pour voir que l'anxiété voilait son beau regard vert.

— Seulement quoi ? demanda-t-il, angoissé.

— Que fais-tu de Danny ?

Elle regarda son neveu assis sur la vieille couverture près du border collie. Il gazouillait, s'adressant au pélican en peluche qu'Emiliano lui avait apporté, sous l'œil bienveillant de Brutus.

— Daniele vient aussi, naturellement.

Il avait suivi la direction de son regard et contemplait la scène. Au sourire qui joua sur ses lèvres et à la lueur tendre qui brillait dans ses yeux, Lauren sut sans l'ombre d'un doute combien il était attaché au petit garçon.

— Je me moque de savoir qui est… qui *était* son père. J'aime Daniele comme mon propre fils, parce que je ne peux faire autrement que de l'aimer, promit-il en reportant son attention sur elle. Et parce qu'il possède tes gènes et qu'il n'y a pas une seule part de toi que je ne puisse aimer.

— Oh ! Emiliano…

Ce qu'elle entendait était incroyable et dépassait tout ce dont elle rêvait encore, douloureusement, une heure plus tôt. Elle leva vers lui des yeux qu'elle savait remplis d'amour. Son cœur débordait de joie, si bien qu'elle put seulement articuler :

— Je t'aime.

Comme ils s'embrassaient de nouveau avec fougue, Lauren pensa qu'ils se seraient épargné beaucoup d'angoisse sans la visite de Claudette. Mais il en résultait au moins une bonne chose : elle n'aurait pas su à quel point Emiliano l'aimait si tout cela n'était arrivé.

— Nous formerons une famille, jura-t-il. Une vraie famille ! Et Danny aura des frères et sœurs. Il ne devrait pas rester enfant unique très longtemps.

— Eh, du calme ! s'exclama Lauren en riant. Je n'ai rien contre le fait d'en avoir trois ou quatre. Mais pour savoir si nous en aurons davantage, il faudra peut-être consulter les astres !

— Je te ferai si souvent l'amour qu'ils vont vite s'affoler à prédire notre avenir. Mieux vaut s'en remettre au hasard, plaisanta Emiliano à son tour.

Un léger bruit attira leur attention, et ils éclatèrent de rire en voyant l'un des poissons rouges — Véga, Deneb ou Altaïr ? — faire une pirouette hors de l'eau et retomber dans son bocal.

Epilogue

En entendant des aboiements excités et des rires d'enfants, Lauren alla se poster à la fenêtre. Du haut de ses cinq ans, Danny poursuivait sa petite sœur aux cheveux roux et les deux cockers à travers la pelouse.

Francesca était née deux semaines après leur premier anniversaire de mariage. Lauren ne put réprimer un sourire attendri en voyant ses enfants tourner ensuite autour de leur père. Le vœu d'Emiliano de donner plusieurs frères et sœurs à Danny allait de nouveau se réaliser : dans quelques semaines elle mettrait au monde un petit garçon.

D'un commun accord, ils avaient décidé de donner une éducation anglaise à leurs enfants. Ils avaient gardé la villa des Caraïbes comme villégiature et s'étaient installés récemment dans une charmante demeure entourée de verdure assez proche de Londres, d'où Emiliano dirigeait désormais ses affaires, et en même temps assez retirée pour qu'ils puissent profiter de la campagne. Lauren avait fait de ce dernier point une priorité. Dix-huit mois plus tôt, elle avait vendu sa ferme à Fiona, qui venait d'épouser un éleveur de chevaux. Tous deux avaient restauré les bâtiments et les avaient transformés en un centre équestre très prospère.

Il n'y avait qu'une seule ombre au tableau : Lauren regrettait de ne voir Claudette que lorsque les circonstances l'exigeaient. Sa belle-mère ne souhaitait pas passer plus de temps avec Emiliano et elle, ni connaître davantage Danny — qu'ils avaient légalement adopté.

Se détournant de la fenêtre, elle se remit à trier les derniers cartons qui encombraient la chambre qu'elle réservait pour le bébé à venir. Il ne lui restait plus que quelques affaires à répartir entre les trois piles qu'elle avait déjà constituées : ce qui était à voir, à garder, à jeter. Elle saisit l'enveloppe intrigante qu'elle venait de trouver dans une vieille boîte de photos appartenant à son mari et l'ouvrit, curieuse.

Quand elle eut parcouru la lettre, Lauren se figea, bouche bée. Puis elle descendit l'escalier et sortit dans le jardin aussi vite que son état le lui permettait.

— Joyeux anniversaire, maman ! s'exclama Danny, suivi de près par sa petite sœur.

L'espace d'un instant, elle oublia ce qu'elle avait en tête et se baissa pour permettre à son neveu de passer un collier de marguerites autour de son cou.

— Oh ! mes chéris, merci ! dit-elle en les serrant contre elle.

Quand les petits détalèrent en criant joyeusement, Lauren les regarda en souriant. Quelle famille heureuse ils formaient ! Même si elle avait renoncé à une carrière pour devenir mère, elle ne le regrettait pas un instant, parce qu'elle ne pouvait imaginer être plus heureuse qu'elle ne l'était en ce moment, entourée de ses enfants et de l'homme qu'elle aimait.

— Tu as l'air essoufflée, *cara*. Tout va bien ? demanda Emiliano d'une voix inquiète.

— Oui, très bien, le rassura-t-elle. Tu m'as demandé de te montrer ce que je juge important dans les affaires que je trie et… j'ai trouvé ceci dans une boîte qui contenait des photos.

Emiliano prit le papier qu'elle lui tendait et le fixa, la mine grave tout à coup. Puis il se détourna pour cacher son visage.

— Ton frère t'a vraiment laissé quelque chose, murmura Lauren, devinant que son mari était aux prises avec une émotion violente. Vikki avait dû consentir à ce test ADN finalement. Hélas, le résultat est arrivé quelques jours après sa mort.

— Pourquoi Angelo a-t-il renié Daniele, et devant Claudette, alors que pendant tout ce temps, il avait cette… preuve ? s'exclama-t-il avec une incrédulité mêlée de colère.

— Peut-être qu'il se sentait incapable d'être père, hasarda-t-elle doucement.

Emiliano se détourna et elle remarqua que ses yeux sombres brillaient. Il aurait pu entamer des démarches pour savoir si oui ou non Daniele était l'enfant de son frère. Mais il ne l'avait pas fait.

— Tu sais que ça n'aurait fait aucune différence, déclara-t-il d'une voix rauque.

Emiliano regarda le petit garçon qui jouait. Daniele était autant une partie de lui-même que de Lauren. Un neveu et un fils qu'ils adoraient.

— Oui, je sais, murmura-t-elle, les larmes aux yeux.

Son mari la serra alors tendrement contre lui. En percevant tout l'amour qui vibrait en lui, Lauren comprit que son bonheur — leur bonheur — était complet.

Ne manquez pas, dès le 1er janvier

***UN SERMENT POUR AMBER**, Lynne Graham* • *N°3545*

Une demande en mariage ? Tabby est stupéfaite. Si elle a forcé le passage jusqu'au bureau d'Ash Dimitrakos, c'est pour convaincre l'insensible milliardaire de la soutenir dans ses démarches pour adopter Amber, la petite fille orpheline dont tous deux ont été désignés cotuteurs, quelques mois plus tôt. Mais jamais elle n'aurait pensé qu'Ash voudrait s'impliquer davantage, lui qui a, jusqu'à présent, refusé d'assumer ses responsabilités envers la fillette. Si elle se demande ce que peut bien cacher ce brusque changement de comportement, Tabby sait pourtant qu'elle ne peut refuser sa stupéfiante proposition : seule, elle n'obtiendra jamais la garde d'Amber. Mais elle ne devra pas oublier que sous son charme ravageur, son futur épou est un homme froid et sans cœur…

***LA ROSE INDOMPTABLE,** Carol Marinelli* • *N°3546*

En se rendant au gala organisé par Xante Rossi, Karin Wallis voulait simplement voir une dernière fois le bijou hérité de son grand-père, auquel elle tient plus que tout, et que son frère a vendu à son insu au riche – et sublime – collectionneur. Mais restée seule avec le bijou, elle l'a dérobé avant de prendre la fuite. Une impulsion qu'elle regrette amèrement maintenant que Xante se dresse face à elle, furieux. Très vite, Karin comprend pourtant qu'il ne portera pas plainte. Hélas, un diffus sentiment d'angoisse se mêle aussitôt à son soulagement : quelle contrepartie peut bien attendre d'elle cet homme qu'elle devine impitoyable ?

***TROUBLANTS RENDEZ-VOUS**, Ally Blake* • *N°3547*

Quand une de ses élèves lui demande de donner des cours de danse à Ryder Fitzgerald, son frère aîné au bras duquel elle souhaite ouvrir le bal pour son mariage, Nadia accepte immédiatement. Ce qu'elle n'imaginait pas, c'est le trouble profond que Ryder provoquerait en elle au premier regard. Passer des heures entières à frôler cet homme, contrôler la position de son corps, danser langoureusement contre lui, voilà qui promet d'être une torture… Car Nadia ne peut se permettre de céder à ce désir brûlant. Les hommes ne lui ont jamais apporté que des déceptions, et aujourd'hui elle doit concentrer toute son énergie sur l'audition qu'elle prépare. Une audition qui lui offrira un nouveau départ, loin de l'Australie où plus rien ne la retient…

L'AMANT DE BUENOS AIRES, *Carole Mortimer* • N°3548

Buenos Aires… Jamais Beth n'aurait imaginé mettre les pieds dans cette ville si animée et exubérante, elle, la petite Anglaise timide. Mais il y a tant de choses qu'elle n'aurait jamais imaginées… comme découvrir du jour au lendemain que sa vie reposait sur un mensonge : née dans une puissante famille argentine, les Navarro, elle a été enlevée alors qu'elle n'avait que deux ans… Malgré l'affection que lui témoigne sa famille biologique, Beth a le plus grand mal à s'habituer à sa nouvelle identité. Mais tout ça serait encore supportable sans Raphael Cordoba. Raphael, un mètre quatre-vingt-dix de perfection masculine, engagé pour garantir sa sécurité, mais dont la présence – nuit et jour – à ses côtés éveille en elle un trouble brûlant...

AU JEU DE LA SÉDUCTION, *Maya Blake* • N°3549

« Tu es un égoïste qui ne mérite pas l'air qu'il respire ! » Jamais Raven n'oubliera les mots terribles qu'elle a lancés à la figure de Rafael de Cervantes, l'arrogant play-boy pour lequel elle travaille, juste avant qu'il n'ait l'accident de voiture qui a failli lui coûter la vie. Fou de rage, Rafael a-t-il commis une imprudence au volant ? Etouffée par la culpabilité, Raven n'a qu'une issue : aider Rafael à retrouver sa condition physique. Elle sait qu'aucun autre physiothérapeute ne supportera longtemps ses sarcasmes incessants. Mais elle, elle y parviendra : c'est le prix à payer pour se racheter. Même si cela signifie passer de longues heures en tête-à-tête avec cet homme qui exerce depuis toujours sur elle une envoûtante – et dangereuse – séduction…

LA TENTATION D'UN MILLIARDAIRE, *Julia James* • N°3550

Partie à un shooting photo à Hawaii ? Rafael Sanguardo n'en revient pas. Quand il a posé les yeux sur Celeste Philips, quelques semaines plus tôt, il a immédiatement su qu'il lui fallait cette femme. Si belle, si douce, si mystérieuse. Et qui ne cesse de le repousser ! Une réaction qu'il n'est pas habitué à provoquer chez les femmes, surtout quand la tension érotique est si forte, si palpable. Et voilà que, pour le fuir, Celeste a accepté du travail à l'autre bout de la planète… Il devrait en être agacé mais, curieusement, son intérêt et son désir n'en sont que plus forts. Alors, si Celeste veut jouer à ce petit jeu, il la rejoindra à Hawaii. Et, dans ce décor de rêve, il s'assurera qu'elle n'ait plus la moindre chance de lui résister…

A L'ÉPREUVE DU DEVOIR, *Caitlin Crews* • N°3551

Quand son mari, le prince héritier du Khatan, lui annonce qu'il est temps pour lui de monter sur le trône, Kiara sent le sol se dérober sous elle. Bien sûr, après cinq ans de bonheur fou, elle savait que ce jour finirait par arriver… Et très vite, elle a l'impression que sa vie lui échappe. Pire, elle voit Azrin s'éloigner d'elle de jour en jour. Aussi, le jour où l'entourage royal lui fait comprendre qu'elle doit tomber enceinte, c'en est trop. Le cœur brisé, Kiara comprend qu'il est temps pour elle de se poser la question qu'elle a désespérément tenté d'ignorer jusque-là : son mariage avec Azrin est-il assez fort, assez solide, pour surmonter une telle épreuve ?

UN ODIEUX ULTIMATUM, Jennifer Hayward • N°3552

Quand Riccardo De Campo, celui qui sera bientôt son ex-époux, lui annonce qu'il ne lui accordera le divorce que si elle accepte de jouer au couple amoureux pendant six mois de plus, le temps pour lui de rassurer son conseil d'administration, Lilly refuse net. Découvrir l'infidélité de l'homme auquel elle avait offert son cœur a failli la briser, et si elle veut se reconstruire, elle sait qu'elle doit se tenir aussi loin que possible de Riccardo et de son charme envoûtant. Mais quand il ajoute qu'il lui donnera leur somptueuse maison, Lilly comprend avec angoisse qu'elle n'a plus le choix. Comment refuser, alors que la vente de cette maison lui permettrait de réunir l'importante somme d'argent nécessaire au traitement de sa jeune sœur malade ?.

LA FIANCÉE DES SABLES, Sharon Kendrick • N°3553

Un baiser brûlant. Voilà la seule chose que Sara a partagée avec Suleiman, l'homme qu'elle aime depuis toujours mais qui lui est à jamais interdit : n'est-il pas le meilleur ami du Sultan de Quhrah, auquel elle est promise depuis l'enfance ? Un destin auquel elle a tenté d'échapper en se réfugiant à Londres. En vain. Car, cinq ans plus tard, c'est bien pour la ramener à Quhrah que Suleiman surgit sur le pas de sa porte. Sara est furieuse : lui plus qu'aucun autre devrait comprendre que ce mariage est impossible ! A moins que son salut ne réside justement dans le désir qu'elle voit toujours briller dans le regard de Suleiman ? S'ils s'abandonnent à la passion qui les consume, il n'osera pas la reconduire auprès du Sultan...

UNE DÉLICIEUSE VENGEANCE, Jennie Lucas • N°3544

Le prince Kasimir Xendzov. Un homme dangereux, impitoyable… et le seul à pouvoir l'aider. Depuis que sa sœur a été kidnappée sous ses yeux, Josie a tout fait pour tenter de la sauver. En vain. Aujourd'hui, elle joue sa dernière carte. Car si Kasimir est assez riche et redouté pour lui venir en aide, elle possède de son côté ce qu'il désire le plus au monde : la terre ancestrale des Xendzov, vendue des années plus tôt à son père et dont elle a hérité à la mort de ce dernier. Hélas, elle ne pourra disposer de cette terre qu'à son mariage. Alors, pour offrir à Kasimir ce qu'il attend, et le convaincre de sauver sa sœur, Josie sait ce qu'il lui reste à faire : épouser le redoutable – et dangereusement séduisant – prince russe.

Attention, numérotation des livres différente pour le Canada : numéros 1970 à 1977.

Composé et édité par HARLEQUIN

Achevé d'imprimer en novembre 2014

La Flèche
Dépôt légal : décembre 2014

Pour l'éditeur, le principe est d'utiliser des papiers composés de fibres naturelles, renouvelables, recyclables, et fabriquées à partir de bois issus de forêts qui adoptent un système d'aménagement durable. En outre, l'éditeur attend de ses fournisseurs de papier qu'ils s'inscrivent dans une démarche de certification environnementale reconnue.

Imprimé en France